connaissance
D'UNE ŒUVRE

Samuel Beckett

ATTENDANT
GODOT

Jacques Quintallet
AGRÉGÉ DE LETTRES MODERNES
ANCIEN ÉLÈVE DE L'ÉCOLE NORMALE SUPÉRIEURE

1, rue de Rome - 93561 Rosny Cedex

© BRÉAL 1999.
Toute reproduction même partielle interdite.
Dépôt légal : août 1999.
ISBN 2 84291 280 2
2ème édition

AVANT-PROPOS

On aurait sans doute surpris Samuel Beckett en lui annonçant, en 1953, que sa pièce *En attendant Godot* deviendrait en moins d'un demi-siècle un « classique », au sens exact du terme : un livre qu'on étudie en classe, et qui figure au programme de l'agrégation de lettres. Sans doute était-il pleinement conscient de la valeur de son œuvre, mais ses romans lui auraient certainement paru de meilleurs candidats à la postérité, sinon à la notoriété.

Pourtant le fait est là : avec ses difficultés, ses questions souvent sans réponse, *En attendant Godot* est aujourd'hui un des textes du vingtième siècle les plus étudiés dans les lycées et les universités.

De cette situation, ce petit livre prend acte, puisqu'il paraît dans une collection destinée d'abord aux lycéens et étudiants. On souhaiterait y décrire et y analyser la pièce comme elle semble nous y appeler, sans naïveté mais sans pédanterie, en évitant aussi bien les banalités que les délires interprétatifs, auxquels pourtant elle se prête si bien.

Les lecteurs sont invités à utiliser cet ouvrage en conservant leur esprit critique, en n'y cherchant nulle vérité révélée sur le sens du texte, et en n'écartant aucune des idées alternatives qui pourraient leur venir à son sujet : ils rejoindront ainsi la démarche que Beckett eût lui-même encouragée, lui qui ne se lassa pas de poser des questions sans jamais s'arrêter à la vaine tâche d'y apporter réponse.

L'édition utilisée sera la seule édition disponible, substantiellement inchangée depuis 1952 : celle qui a été publiée aux éditions de Minuit sous les auspices de Jérôme Lindon, qui le premier sut discerner la grandeur de Beckett.

Jacques Quintallet

SOMMAIRE

1
REPÈRES

1 – CONTEXTE

■ Repères historiques

De deux guerres à une troisième ?

Pour étudier *En attendant Godot* dans son contexte
historique, il convient de se référer d'abord à sa date de
composition, plutôt qu'à celle de sa première mise en
scène. Selon ce que l'on sait, la pièce, bien que représentée en 1953 seulement, a été composée dès 1948. À
ce moment, la Seconde Guerre mondiale est achevée en
Europe depuis trois ans, et à cette épreuve pourrait
avoir succédé, comme ce fut le cas après l'armistice de
1918, une certaine euphorie parmi les peuples qu'ont
accablés cinq années de combats et de privations. Les
démocraties, au premier rang desquelles les États-Unis,
ont triomphé, le totalitarisme nazi s'est écroulé sous les
décombres de l'Allemagne ravagée par les bombes, et
l'avenir semble ouvert à ceux qui se donneront pour
but de reconstruire l'Europe.

Mais de même qu'en 1918 la fin de la Première Guerre mondiale portait en elle les germes de la seconde, de même, et plus violemment encore, l'issue heureuse du second conflit planétaire fait place, sans le moindre répit presque, à des menaces bien plus terribles qu'avait pu l'être la paix mal réglée de 1919.

D'abord les alliés d'hier, à peine passées les congratulations des troupes russes et américaines opérant leur jonction au cœur du Reich nazi, se sont engagés dans ce que l'on appelle très vite la « guerre froide » : les deux superpuissances mondiales, les États-Unis et l'U.R.S.S., recomposent l'Europe selon les termes de leurs traités des années de guerre, mais utilisent aussi d'emblée le vieux continent comme champ d'affrontement idéologique et géopolitique. Tandis que les Américains soutiennent à bout de bras l'économie britannique, française, italienne, entre autres, les Soviétiques manipulent sans subtilité mais avec une efficacité incontestable les pays qui sont dévolus à leur sphère d'influence. Ils imposent avec plus ou moins de brutalité le régime du parti unique et le dogme communiste à la Hongrie, la Roumanie, la Tchécoslovaquie, à la Pologne aussi, que Staline, n'ayant pu la dépecer entièrement dans le partage que projetait le traité germano-soviétique de 1939, s'approprie cette fois intégralement, par hommes de paille interposés.

Les « démocraties populaires » naissantes révèlent rapidement leur nature de régimes dictatoriaux, soumis à l'influence hégémonique du « grand frère » soviétique. L'Autriche, occupée, ne devra la sauvegarde de sa liberté qu'à l'acceptation d'un statut de pays neutre. La Grèce est pendant plusieurs années en proie à une guerre civile qui manque de la faire basculer dans le camp communiste, tandis que la Yougoslavie et l'Albanie préservent à grand-peine une relative indépendance vis-à-vis de l'omnipotence russe – ce qui ne leur évite nullement l'instauration de régimes communistes eux aussi fort autoritaires.

En Europe de l'Ouest même, les conflits sociaux font rage ; de l'atmosphère œcuménique de l'immédiat après-guerre, qui voit en France les communistes collaborer au gouvernement du général de Gaulle, il ne reste déjà plus rien.

De cet état du monde il subsistait quelques traces dans la version primitive de la pièce de Beckett. Le texte de la première édition fait, au passage, référence à des « comiques staliniens ». Mais cette mention, qui présentait l'inconvénient, aux yeux de Beckett, de permettre un semblant d'identification historique, fut supprimée aux répétitions et dès la première réédition de l'ouvrage.

L'inhumaine humanité

En attendant Godot ne peut que très difficilement se situer par rapport aux événements qui marquèrent la période de sa création, et que nous venons d'évoquer. En revanche, il est possible de discerner dans la pièce une atmosphère qui n'est pas sans rapport avec la perception que l'on pouvait avoir, à l'époque, de l'humanité et de son devenir.

N'oublions pas en effet que si 1945 vit la défaite de l'Allemagne et (au moins dans l'Ouest de l'Europe) le retour à la démocratie, cette date fut aussi celle de la première utilisation de la bombe atomique, et celle de la découverte et de la libération par les Alliés des camps de concentration nazis.

Ces deux événements prennent valeur de symboles dans l'histoire contemporaine. Ils marquent en effet, d'une certaine manière, la fin de la croyance en un progrès irréversible de l'humanité. Les guerres, pour sanglantes qu'elles étaient, pouvaient toujours être interprétées comme des dérapages de l'histoire, que venait réparer une paix plus ou moins équitable. Mais la possibilité d'anéantissement total qu'offrait l'arme nucléaire, et peut-être davantage encore la révélation de ce que des êtres humains avaient pu, non dans l'ardeur d'une bataille, mais dans une froideur bureaucratique et quotidienne, infliger à d'autres êtres humains, la volonté d'annihilation rationnelle de groupes humains entiers, au premier rang desquels les Juifs bien sûr, que démontrait la logique du système concentrationnaire, tout cela était de nature à miner l'espoir des plus optimistes. Ce n'est sans doute pas par hasard d'ailleurs que la déportation et l'annihilation de millions d'hommes et de femmes passa dans l'immédiat après-guerre au second plan des consciences, qui ne souhaitaient pas sans doute se voir gâcher si vite le bonheur de la paix retrouvée, tandis que les rescapés eux-mêmes hésitaient à dépeindre leur expérience, tant elle leur était douloureuse à retracer, et tant elle devait, à beaucoup, sembler proprement incroyable.

Beckett n'a sans doute jamais été, pour sa part, bien optimiste quant aux possibilités de faire avancer la civilisation vers une paix et une fraternité universelles. Mais la connaissance de ces faits ne fut en tout cas pas de nature à le faire changer d'avis sur ce point, et put même noircir encore son point de vue. De cela ses œuvres d'après-guerre portent la trace : les romans qui explorent d'abord la subjectivité du narrateur, les pièces qui posent plus ouvertement des problèmes universels, et sans jamais se référer à des événements concrets, actuels, décrivent la déréliction de l'homme privé d'espoir, pour une large part, par sa propre faute.

■ Un renouveau culturel

L'existentialisme

La France connut après la guerre de grands changements dans sa vie artistique et intellectuelle, de par l'important renouvellement des productions et des pratiques culturelles qui se développa dans ces années.

Le Paris des années 1940, s'il fut encore assez longtemps après l'armistice le lieu des privations et des tickets de rationnement, vit aussi l'éclosion de mouvements nouveaux, que favorisa l'explosion des énergies que cinq années de conflit et d'occupation avaient maintenues enfermées.

Le mouvement le plus marquant en est l'existentialisme, dont le chef de file, Jean-Paul Sartre, acquiert vite une renommée qui dépasse largement l'Hexagone. Prônant le primat de l'existence sur l'essence, voire de l'action sur la réflexion, à l'encontre de la philosophie traditionnelle, il ouvrait de nouveaux champs de liberté à une jeunesse brûlant de vivre pleinement pour récupérer en quelque sorte les années perdues.

Du reste, au-delà du mouvement véritablement philosophique, l'existentialisme devint très vite une manière d'être, une mode, voire un snobisme parmi la jeunesse étudiante ou fortunée de la capitale, dont le quartier de Saint-Germain-des-Prés devint le point de ralliement obligé, autour du café de Flore ou des boîtes de nuit où se jouait enfin le jazz proscrit pendant les années sombres. Peu de ces jeunes gens partagèrent véritablement le sens de l'engagement qui fut celui de Sartre, mais tous s'élevèrent, certes de manière ludique, mais avec sincérité, contre le conformisme que voulaient maintenir les générations plus âgées.

Beckett, pour sa part, n'entretint que des rapports très épisodiques avec cette avant-garde. Un de ses textes fut bien publié par *Les Temps modernes*, la revue de Sartre, mais les rapports entre les deux hommes n'allèrent jamais très loin, l'engagement de Beckett étant presque exclusivement d'ordre artistique, alors que Sartre devenait l'intellectuel protéiforme qui fut de tous les combats jusqu'à mai 1968 et au-delà.

La littérature de l'absurde

Pourtant, la vie intellectuelle et artistique de cette période ne se résume pas à l'existentialisme. Au tournant des années cinquante se manifeste, en littérature, une nouvelle tendance que la critique ne tarda pas à catégoriser sous quelques termes pratiques, qui ont conservé une part de leur utilité malgré leur aspect excessivement réducteur. Dans la fiction, on parle de « nouveau roman » lorsque Nathalie Sarraute, Michel Butor, Alain Robbe-Grillet accèdent à la notoriété. Les œuvres romanesques de Beckett lui-même ont parfois été rattachées à ce mouvement, qui se caractérise par une importance accrue accordée au discours (le fait de raconter) par rapport au récit (ce que l'on raconte).

Ainsi, dans *La Modification* de Michel Butor, l'élément qui frappe d'abord est que le texte est entièrement rédigé à la deuxième personne (comme si le lecteur était le personnage du texte, donc). Chez Nathalie Sarraute, ce sont les approximations, les petites failles du langage qui deviennent la matière de la narration, tandis que chez Alain Robbe-Grillet l'histoire finit par s'embrouiller au point de devenir souvent le contraire de ce qu'on la croyait initialement. Ces expérimentations doivent beaucoup à l'œuvre de James Joyce, que Beckett a bien connu à Paris avant la guerre.

Au théâtre, qui n'est qu'énonciation, sans possibilité apparemment pour l'auteur de discourir indépendamment de ce que disent et font ses personnages, on parla de « théâtre de l'absurde » lorsque Samuel Beckett, Eugène Ionesco, Arthur Adamov, d'autres encore, livrèrent au public des pièces d'où l'action avait à peu près totalement disparu, de même que toute possibilité de discours rationnel, cohérent ou suivi, et où une fantaisie à l'allure parfois improvisatrice livrait à une désorganisation généralement comique les va-et-vient des personnages.

Le regroupement sous ces étiquettes d'auteurs au fond assez différents fut favorisé par le fait (dans le cas du « nouveau roman » surtout) qu'ils publiaient pour la plupart chez le même éditeur, le très audacieux fondateur des éditions de Minuit, Jérôme Lindon, qui fut, avec José Corti, et à mille lieues des grandes maisons traditionnelles comme Gallimard et Grasset, un de ceux qui firent le plus pour la diffusion de la littérature la plus moderne en France – et, entre autres, de Beckett. Il ne se laissa nullement rebuter par les moins de vingt exemplaires qui furent vendus par Bordas de la traduction française qu'avait faite Beckett de son roman *Murphy*. Bien lui en prit du reste, puisque la célébrité finit par venir à Beckett, qui fit dès lors une grosse part du chiffre d'affaires des éditions de Minuit.

Nous tenterons plus loin d'expliciter les rapports qui peuvent unir *En attendant Godot* et *La Cantatrice chauve* de Ionesco, une œuvre dont la conception et la première représentation furent à peu près contemporaines de la rédaction de la pièce de Beckett, et précédèrent de quelques années sa création sur scène.

2 – PRÉSENTATION DE L'AUTEUR

■ Des débuts tardifs

Samuel Beckett est né en 1906, à Foxrock, dans le sud d'une Irlande qui appartenait alors tout entière à la couronne britannique. Lui-même affirmait être né le Vendredi saint, le 13 avril, alors que l'état civil indique la date du 13 mai. Ce détail n'est pas sans importance lorsqu'on étudie *En attendant Godot*, nous le verrons. Sa famille est de lointaine origine française, et il ne fera en quelque sorte qu'inverser le mouvement lorsque, plus tard, il optera pour une installation définitive en France. Les Beckett sont protestants dans un pays extrêmement croyant et majoritairement catholique, mais qui n'était pas alors aussi déchiré par les tensions entre communautés religieuses qu'il le devint par la suite.

La famille appartient à la bourgeoisie et ne connaîtra jamais de gros problèmes matériels. Le père de Samuel est métreur, c'est-à-dire collaborateur d'architecte. Samuel aura un seul frère, de quelques années son cadet. Ses études sont sans histoire : à l'école primaire, puis dans l'un des meilleurs internats du pays, il se révèle un élève plutôt doué, mais peu zélé. Les matières dans lesquelles il réussit le mieux sont l'anglais, le français et le sport : très grand, il est un fort bon joueur de cricket et, malgré sa carrure modeste, de rugby. En revanche, il ne montre que dédain pour les matières scientifiques. Il reçoit par ailleurs une solide éducation religieuse, mais se détache très tôt de la foi.

Il entreprend en 1923 des études universitaires au Trinity College de Dublin, la meilleure université d'Irlande (ce qui toutefois ne signifie pas grand-chose, car les Irlandais les plus aisés préféraient envoyer leurs enfants dans les grandes universités anglaises, comme

Oxford ou Cambridge, plutôt qu'à Dublin, qui leur semblait trop « provincial »). Son goût le pousse peu à peu vers les langues vivantes : italien et français, mais il continue à consacrer davantage de temps au golf ou à la moto qu'à ses études. Il s'oriente, plus par facilité que par goût, vers une carrière d'enseignant, et ses qualités linguistiques sont suffisantes pour qu'on envisage de lui confier un poste au Trinity College même.

Toutefois, avant cela, il faut qu'il affine sa pratique sur le terrain. Après quelques brefs séjours d'études sur le continent, on l'envoie donc en 1928, pour deux ans, comme lecteur à l'École normale supérieure, à Paris, où il est censé préparer une thèse sur le poète français Pierre-Jean Jouve. Il n'en fera rien. En revanche, il va mener à Paris une vie assez désordonnée où il inverse souvent le jour et la nuit, consomme beaucoup d'alcool, et fréquente de nombreux jeunes gens, français et irlandais.

On le présente au grand écrivain irlandais James Joyce, de plus de vingt ans son aîné, qui s'est exilé en France pour échapper aux rigueurs tatillonnes de la censure irlandaise, laquelle a condamné son roman *Ulysse* pour obscénité. Beckett admire Joyce, le fréquente assidûment, et devient peu à peu son secrétaire, voire son homme à tout faire : en effet, la vue de Joyce a considérablement baissé, et il est désormais proche de la cécité, ce qui rend nécessaire l'aide d'un collaborateur. Il semble toutefois que Beckett se soit beaucoup plus investi affectivement dans ces rapports que Joyce, et il sortira meurtri de cette relation à sens unique. Il écrit son premier texte publié, *Dante... Bruno. Vico.. Joyce* (le nombre de points entre les noms des écrivains correspond au nombre de siècles qui les séparent), qui paraît dans un volume collectif consacré à l'œuvre en cours, qui occupera Joyce pratiquement jusqu'à sa mort. Le volume porte le titre alambiqué et plein de jeux de mots « joyciens » de *Our exagmination round his factification for incamination of Work in progress...* On se doute qu'il s'en vendit fort peu. En revanche, en 1931, le texte que Beckett consacra à *Proust*, sans être bien sûr un succès de librairie, trouva davantage de lecteurs. Du moins Beckett montre-t-il une grande sûreté de goût, puisqu'il consacre ses deux premières œuvres publiées et ses seules œuvres de critique littéraire aux deux romanciers assurément les plus importants du début du vingtième siècle.

La situation entre Joyce et Beckett va se compliquer du fait que Lucia, la fille de Joyce, qui donne des signes d'instabilité mentale, s'attache à Beckett et en vient à se faire des idées sur la possibilité d'un mariage que lui ne désire nullement. Lorsqu'elle sombrera dans la folie, Beckett ne pourra s'empêcher de ressentir un violent sentiment de culpabilité.

En 1930, Beckett retourne à Dublin, théoriquement pour enseigner au Trinity College. En fait la tentative sera de courte durée : il n'est pas fait pour être professeur. En revanche, il commence à écrire des textes personnels, poèmes, nouvelles. Il passe les années suivantes entre Paris, Londres et l'Irlande, avec quelques séjours en Allemagne, dont il maîtrise désormais fort bien la langue. Il vit le plus souvent de traductions du français en anglais, traductions littéraires quelquefois, le plus souvent traductions techniques. Il a alors plus de trente ans.

■ Les années difficiles

En 1937 paraît son premier roman vraiment achevé, *Murphy*, dont le style est brillant mais déroutant, et qui se déroule pour la plus grande partie dans un asile psychiatrique. Le livre connaît un succès d'estime, mais ne lui apporte pas vraiment la renommée. Cette même année, Beckett choisit de s'installer définitivement en France.

En 1939, il est en Irlande lorsque la guerre éclate, mais il revient immédiatement en France. Dès le début de l'occupation allemande, il va s'engager dans la résistance : il portera des documents à tel ou tel membre du réseau. Un jour, il échappe de peu à la Gestapo, et doit s'enfuir en zone non occupée, dans le village de Roussillon, où il va passer le reste de la guerre, et où il s'emploie à des travaux agricoles. Il fréquente un paysan du nom de Bonnelly, qui produit un assez bon vin, et qui sera cité (de même que Roussillon) dans *En attendant Godot*. Une compagne partage désormais sa vie ; elle lui est toute dévouée et veut lui faciliter les choses pour qu'il puisse se consacrer à son œuvre. Pendant la guerre toutefois, il n'écrit qu'un roman (toujours en anglais), *Watt*, dont le personnage central, vagabond qui entre au service d'un propriétaire nommé Knott, est le premier de ceux qui répondent au type qu'on qualifiera plus tard de « beckettien » : demi-clochard qui marche longuement dans la campagne en se posant sans cesse des questions plus ou moins absurdes, mais d'une impeccable construction logique.

À la fin de la guerre, Beckett repart quelque temps en Irlande, mais revient vite en France, où il travaille à l'hôpital dont l'Irlande a fait don à la ville de Saint-Lô, entièrement détruite par les bombardements. Il obtiendra plus tard, sans s'en vanter jamais, la croix de guerre. Sa santé s'est dégradée, entre autres depuis qu'un déséquilibré, avant la guerre, le croisant dans la rue sans le connaître, lui a porté un coup de couteau qui lui a perforé le poumon ; il souffre fréquemment de maux psychosomatiques, sa vue se détériore. Il a la sensation d'être à un tournant de sa vie – on ne peut dire encore de sa carrière, car il n'a jamais pu vivre de sa plume. Il pense être arrivé à une impasse dans la langue anglaise, qu'il maîtrise stylistiquement à la perfection, mais dans laquelle il ne peut correctement exprimer l'âpreté des questions qui l'assaillent. Lorsqu'on lui demandera plus tard pourquoi il a choisi d'écrire en français, il dira qu'il a pris cette décision le jour où il a compris « à quel point il était con ».

Il écrit une nouvelle, *Premier Amour*, puis un roman, *Mercier et Camier*, qui ne sera publié qu'en 1970, car Beckett a encore peur que son français ne soit entaché de petites erreurs qui ne seraient décelables qu'à un locuteur francophone de naissance. Dans *Mercier et Camier* apparaît un duo de personnages qui annoncent nettement ceux de Vladimir et Estragon dans *En attendant Godot*.

Puis il se lance dans la tentative la plus ambitieuse peut-être de sa vie d'écrivain, un ensemble de deux romans, qui en deviendront finalement trois : *Molloy, Malone meurt, L'Innommable*. Ce sont certainement les œuvres les plus importantes de Beckett, même si elles ont été éclipsées par la gloire de son théâtre.

En effet, épuisé par les efforts qu'il déploie pour rédiger *Malone meurt*, il entreprend pour la première fois d'écrire pour le théâtre. Il a avant la guerre composé *Éleuthéria*, qui ne sera pas publié, mais, en 1948, il écrit en quelques semaines une pièce qui est pour lui avant tout un délassement : *En attendant Godot*. Entre-temps, il a trouvé un jeune éditeur qui a perçu l'ampleur de son talent : Jérôme Lindon, directeur des éditions de Minuit, qui sont nées dans la Résistance et peuvent s'enorgueillir d'avoir publié clandestinement pendant la guerre *Le Silence de la mer*, le roman de Vercors. C'est Lindon qui édite la trilogie romanesque de Beckett, et qui accepte aussi *En attendant Godot*. Fidèle en amitié, Beckett ne publiera jamais rien en France ailleurs qu'aux éditions de Minuit.

Pendant ce temps, *En attendant Godot* connaît un parcours chaotique. Comme c'était prévisible pour un texte aussi novateur, personne n'a grande envie de prendre le risque financier de monter cette pièce, dont tout le monde estime qu'elle ne peut être qu'un « four » et un désastre pour ceux qui participeront à l'entreprise. Deux metteurs en scène d'avant-garde s'y intéressent pourtant : Jean-Marie Serreau et Roger Blin. C'est ce dernier qui finalement, à force de ténacité, parvient à amener la pièce au public : la première a lieu le 5 janvier 1953.

■ Les années de gloire

En attendant Godot remporte un succès inespéré, et pratiquement du jour au lendemain Beckett accède à la notoriété auprès des élites cultivées. Cette gloire (modeste tout de même si on la compare, pour ne parler que de ses contemporains, à celle d'un Sartre ou même d'un Jean Anouilh) va plus l'embêter que le ravir.

En effet, on cherche à en savoir plus sur lui et sur son œuvre, et on lui pose toujours les mêmes questions, auxquelles il ne peut ou ne veut pas répondre, sur la signification de sa pièce en particulier. Il est au fond assez mécontent d'être reconnu comme auteur de théâtre alors qu'il est avant tout un romancier qui a écrit du théâtre pour se changer les idées, tandis que Sartre, par exemple, s'il occupe les grandes scènes parisiennes dans les années 1950 avec *Les Mains sales* ou *Le Diable et le Bon Dieu*, est également connu pour *Le Mur* ou *La Nausée*. Pourtant Beckett va, si l'on peut dire, jouer le jeu, et poursuivre une carrière de dramaturge commencée tardivement (il a bientôt cinquante ans) mais sous d'heureux auspices.

Il n'abandonne pas l'écriture de proses de plus en plus épurées ; tandis qu'il cherchait à faire jouer *En attendant Godot* est paru *L'Innommable*, et vont suivre *Comment c'est* puis des textes de plus en plus brefs, souvent des fragments, qui lui semblent contenir autant de vérité littéraire que des œuvres plus achevées. Il va également s'atteler, à la demande pressante de ses éditeurs, désireux de capitaliser sur la renommée toute neuve d'*En attendant Godot*, à la traduction en français de tous ses anciens textes anglais qui lui semblent dignes de quelque intérêt, et en anglais de la plupart des textes français qu'il a accepté de publier jusqu'alors. Il va également garder un œil attentif sur les autres traductions de ses œuvres, en particulier sur les traductions allemandes, car la langue de Goethe lui est chère ; il va souvent conseiller, voire collaborer avec son traducteur allemand attitré, Elmar Tophoven, « lecteur », comme lui-même l'a été, à l'École normale supérieure, et en 1975, c'est sur une scène berlinoise et dans une version allemande qu'il assurera la mise en scène de plusieurs pièces.

Mais il va aussi s'engager plus franchement sans doute qu'il ne pensait le faire initialement dans la voie d'une carrière d'auteur dramatique. Sa pièce suivante, *Fin de partie*, rencontrera encore bien des réticences, et la première aura lieu cette fois en Angleterre et non en France. Suivront deux *Actes sans paroles*, où il confirme son goût pour les jeux de scène qu'on voit au music-hall ou au cirque, goût que l'on percevait déjà dans *En attendant Godot*. *La Dernière Bande* sera peut-être la pièce où il laissera filtrer le plus d'éléments autobiographiques, avec le personnage de Krapp qui, écoutant des bandes enregistrées dans sa jeunesse, s'interroge sur le bien-fondé du choix qu'il a fait d'une vie consacrée au travail intellectuel. Puis suivront des pièces de plus en plus concises, de plus en plus économes de moyens, qui reprennent les mêmes questions en y apportant des réponses (ou des non-réponses) toujours plus noires : *Oh les beaux jours*, où il inaugure une fructueuse collaboration avec Jean-Louis Barrault et Madeleine Renaud, inoubliable interprète de ce quasi-monologue, puis *Comédie*.

Il va également travailler pour des lieux dramatiques autres que le théâtre : la radio d'abord, assez fréquemment, car la modulation de la voix, du souffle, est pour lui un élément déterminant de la situation de transmission de sens qu'est l'œuvre dramatique ; pour les ondes il écrit *Tous ceux qui tombent*, *Cendres*, puis *Cascando* et *Paroles et musique*, dans lesquels il travaille à partir des relations que peuvent entretenir, justement, les dialogues et la musique ; mais il s'essaie aussi à la télévision (*Dis Joe*), et même au cinéma, où son metteur en scène américain attitré, Alan Schneider, dirige en 1965 Buster Keaton, le grand acteur du cinéma burlesque, dans un film intitulé simplement *Film*.

En 1969, Beckett reçoit le prix littéraire le plus convoité : le prix Nobel de littérature. Cette fois la consécration est totale, mais la notoriété est de plus en plus encombrante pour cet amoureux du retrait et de la solitude. De plus, ses problèmes de santé vont en s'aggravant. Dorénavant, il n'écrit plus que des œuvres très brèves ; pour le théâtre ce sont ce qu'il appelle des *Dramaticules*, en poésie des *Mirlitonnades*, poèmes ironiques de quelques vers, dans le domaine de la prose « narrative » (mais ce terme convient-il encore ?), des textes d'une précision stylistique fulgurante et souvent d'une intense charge poétique, comme, dans les années quatre-vingt, *Compagnie*, *Mal vu mal dit*, *Cap au pire*.

Son état de santé continue à se détériorer, il souffre de problèmes pulmonaires. Les derniers mois de sa vie, il doit être sous une assistance respiratoire constante, dont il se défait par moments pour fumer un cigare…

Il meurt le 22 décembre 1989. Son dernier texte, écrit en anglais et non traduit, porte un titre emblématique de ce grand quêteur de perfection : *What is the word* (« Quel est le mot »).

3 – CADRE DE L'ŒUVRE

■ Un homme en filigrane

Le moins que l'on puisse dire est que Beckett n'aimait guère se confier sur sa vie privée et ses idées, surtout aux inconnus qui constituent le public. Pourtant, à y regarder de près, on trouve bien dans *En attendant Godot* quelques éléments qui font référence à sa propre expérience.

Cela se situe d'abord au niveau anecdotique. L'allusion la plus nette, bien qu'elle soit inaccessible à un lecteur ou spectateur qui ne serait pas préalablement familier de la vie de Beckett, concerne le village de Roussillon, où Vladimir et Estragon disent avoir séjourné et fait les vendanges autrefois, chez un dénommé Bonnely.

Or on a signalé plus haut que, lorsque la menace d'une arrestation par les Allemands pour fait de résistance a chassé Beckett de Paris durant la guerre, il s'est réfugié dans un village de ce nom, où se trouvaient déjà d'autres fuyards, dont quelques Irlandais. Il n'a pas habité chez monsieur Bonnelly (l'orthographe du nom ne varie que d'un L dans le texte de la pièce), mais il s'est effectivement souvent rendu chez lui, et y a apprécié le vin qu'il produisait. Il n'est pas impossible qu'il ait participé aux vendanges dans ses vignes, puisque son statut de réfugié et de clandestin, ainsi que la moindre des courtoisies vis-à-vis de ceux qui l'hébergeaient, l'a contraint à effectuer des travaux agricoles au cours de cette période.

Mis au courant de cette mention de son nom après que la pièce fut devenue extrêmement célèbre, monsieur Bonnelly indiqua qu'il avait échangé une ou deux lettres sur ce point avec Beckett, mais que, l'écriture de ce dernier étant très difficile à lire, les choses en étaient restées là !

D'autres détails pourraient être rattachés à l'expérience de l'auteur, mais de manière plus conjecturale. Ainsi, par exemple, l'éducation religieuse qu'il a reçue pourrait lui avoir donné l'occasion de voir dans son enfance des cartes de la Terre sainte comme celles dont parle Estragon, où le bleu pâle de la mer Morte aurait pu susciter des rêveries de nage et de bonheur, comme chez le personnage. Le retour fréquent de ce thème ou de ses variantes dans l'œuvre de Beckett donne quelque vraisemblance à cette hypothèse.

Quant à la cécité d'un Pozzo qui se montre un maître particulièrement tyrannique pour le pauvre Lucky, le rapprochement avec certains éléments de la pièce suivante, *Fin de partie*, peut laisser supposer que, consciemment ou non, Beckett y a mis une part de James Joyce, dont la vue était effectivement devenue très défaillante au moment où Beckett l'a connu, et dont l'attitude a pu lui donner à penser qu'il utilisait ses services sans le moindre égard pour lui. En outre, la vue de Beckett lui-même s'est constamment dégradée au long de sa vie, et lui aussi a fini par rencontrer de très gros problèmes de lecture.

L'allusion comique d'Estragon, montrant ses vêtements en piteux état pour prouver son statut d'ancien poète, tout en renvoyant au cliché de l'artiste bohème dont le ventre crie famine en attendant que vienne la gloire, n'est pas non plus sans rapport avec la situation matérielle de Beckett au moment où il écrit la pièce : ayant décidé de se consacrer complètement à la littérature, il en paie le prix en termes de statut social, vivant bien souvent aux marges de la pauvreté.

L'élément de l'œuvre qui se laisserait le moins malaisément rattacher à la vie de l'auteur est sans doute le paysage, ou la quasi-absence de paysage, qu'offre le décor, et qui n'est pas sans rappeler, dans l'éclairage entre chien et loup sous lequel est traitée l'action, la campagne irlandaise qu'a parcourue Beckett à pied ou en vélo.

Les amis proches de Beckett affirmaient, selon sa biographe, Deirdre Bair, que les dialogues entre Vladimir et Estragon reprenaient, parfois mot pour mot, certaines conversations qu'avait Beckett avec sa compagne Suzanne. Ils ajoutaient que le décor rustique, le fait que les deux vagabonds dorment dans des meules de foin, et leur découragement face à la difficulté du but à atteindre, rappelaient nettement le voyage qu'ils firent à pied de Paris jusqu'à Roussillon pendant la guerre, lorsqu'ils durent fuir la présence allemande. Nous n'avons aucune raison d'en douter, mais il s'agit là de faits suffisamment privés pour qu'ils soient invérifiables, et en tout cas inaccessibles aux lecteurs ou spectateurs, même bien informés.

On doit avouer que les éléments qui peuvent, avec plus ou moins de certitude, être rattachés à la vie de Beckett sont très rares dans *En attendant Godot* (de même qu'on chercherait en vain une trace directe des événements de la vie des grands auteurs tragiques, d'un Sophocle ou d'un Racine, dans leurs œuvres).

En revanche, la pièce donne de nombreux exemples de citations ou de quasi-citations renvoyant à des données culturelles parfois largement partagées, pour d'autres plus confidentielles et propres à Beckett.

Il n'est pas nécessaire par exemple de souligner à quel point *En attendant Godot* fait un usage fréquent de la culture chrétienne, ou plus précisément biblique. La discussion initiale relative aux « deux larrons » et aux différentes versions qu'en donnent (ou n'en donnent pas) les quatre évangélistes en est l'occurrence la plus marquante. Mais on peut citer aussi la réaction de Pozzo s'ébahissant du fait que Vladimir et Estragon soient « de la même espèce que Pozzo ! D'origine divine ! », ou, au deuxième acte, les deux hommes interpellant le même Pozzo successivement sous les noms de « Caïn » et « Abel ». De fait, cette dimension, ne disons pas religieuse, mais de référence à des motifs religieux, est tellement présente que nous en développerons plus spécifiquement l'étude dans la partie thématique de cet ouvrage.

■ Le genre de la pièce

Beckett, tout en étant profondément novateur, ne remit pas fondamentalement en cause les différences entre les genres littéraires traditionnels : son théâtre se revendique comme tel, et il en va de même pour ses poèmes, ses romans, ses premiers textes critiques. En revanche, c'est à l'intérieur de chacun de ces grands types de textes que son apport se révèle déterminant.

Extérieurement, à feuilleter le livre, *En attendant Godot* ne se distingue pas de la production théâtrale usuelle : la division en actes est respectée, les interventions des différents personnages clairement marquées en début de réplique, ainsi que les indications scéniques de l'auteur, portées en italique. Les choses se compliquent quelque peu à la lecture (ou à la représentation), quand il s'agit de dire à quel genre théâtral on pourrait bien rattacher la pièce.

En effet, de très nombreux éléments de dialogue et de gestuelle pointent vers la comédie, alors que le fond des conversations entre les personnages, ainsi que le côté inconclusif, décevant, du déroulement de l'action semble plutôt nous orienter vers une tragédie. On ne peut non plus assurément parler de « drame », car les péripéties sont trop rares pour que ce terme puisse s'appliquer, ni de tragi-comédie, car les éléments tragiques et comiques, loin d'alterner, peuvent parfaitement coexister au sein d'une même réplique.

La question est en fait un peu vaine : Beckett connaît le théâtre classique, mais ne cherche ni à s'en inspirer, ni à s'en démarquer très ouvertement. Il n'est pas l'homme du scandale (ou ne veut pas l'être : le retentissement de la pièce à partir de 1953 le laissa sans doute le premier surpris), mais se contente de se frayer un chemin (littéraire) parmi ses préoccupations, ses angoisses, ses interrogations personnelles. Sans doute en va-t-il de même pour tout grand écrivain, mais on trouverait peu d'artistes qui aient été à ce point obstinés à suivre le cours de leur talent hors de toute préoccupation de succès ou de mode – sans pour autant, il est vrai, traiter par un mépris teinté de snobisme le succès, lorsqu'il arriva.

Si *En attendant Godot* marqua un tournant dans l'œuvre de Beckett, le fait fut purement conjoncturel. Sans renier le succès, l'écrivain demeura convaincu que sa pièce était plutôt mal écrite, très inférieure à ses pièces suivantes du point de vue de la technique dramatique, et en tout cas sans commune mesure dans l'ambition et la qualité littéraire avec les textes romanesques qu'il composait à la même époque.

En attendant Godot arrive donc sur la scène culturelle du Paris des années 1950 comme un objet très difficile à identifier, à classer, à réduire à des catégories préétablies. Ce fut sans nul doute une raison majeure de son succès initial. De ce succès, les qualités propres de la pièce, malgré les réserves de Beckett, assurèrent ensuite la pérennité.

2

ÉTUDE
DU TEXTE

1 – RÉSUMÉ DE LA PIÈCE

■ Acte premier

L'attente

Au début de la pièce le personnage d'Estragon est seul en scène, essayant d'enlever une chaussure. Le décor, bien que souvent traité de manière dépouillée ou abstraite par les metteurs en scène, est seulement indiqué comme plus ou moins rural (« *Route à la campagne, avec arbre* »). Vladimir entre presque immédiatement. Les deux hommes sont heureux de se revoir, comme après une longue séparation, alors que, semble-t-il, ils se sont quittés la veille. Estragon, tout en s'acharnant sur son soulier, explique qu'il a passé la nuit dans un fossé et qu'on l'a battu. Vladimir, d'emblée plus « intellectuel » que son compagnon, expose l'avantage qu'il y aurait eu à se suicider il y a longtemps – mais maintenant, cela n'en vaut plus la peine. Ce faisant, il ne cesse d'ôter et de remettre son chapeau, où quelque chose semble le gêner.

Au fil d'un dialogue plus ou moins décousu, Vladimir s'interroge sur l'épisode biblique des « deux larrons » crucifiés de part et d'autre de Jésus, et fait remarquer que la version la plus connue, celle où le Christ dit à l'un des deux qu'il sera sauvé, n'est présente que dans un seul des quatre Évangiles – preuve, laisse-t-il entendre, de l'incurable et ridicule optimisme de l'humanité.

Estragon s'apprête à partir, mais Vladimir lui rappelle que c'est impossible, car ils doivent attendre Godot. Sans exclure l'éventualité d'avoir à revenir le lendemain pour la même raison, ils ne peuvent se mettre d'accord pour savoir si, oui ou non, ils ont déjà attendu la veille au même endroit.

Le temps passe, plus ou moins lentement, agrémenté de bouderies, d'effusions, de plaisanteries mille fois ressassées, de projets de pendaison. La réalité du rendez-vous avec Godot devient de plus en plus incertaine. Estragon en est à grignoter une vieille carotte lorsqu'un grand cri se fait entendre…

Du nouveau ?

Arrivent deux hommes, l'un lourdement chargé et le cou attaché par une corde que tient l'autre. Le second se présente : il s'appelle Pozzo, nom dont la consonance est assez ambiguë pour que Vladimir et Estragon le prennent un instant pour Godot.

Tandis que Pozzo s'installe et prend une collation, Vladimir et Estragon observent l'autre homme, qui reste muet, et qui est bien mal en point. Pozzo prend ses aises, laisse Estragon dévorer les maigres reliefs de son repas, et tente d'entretenir une conversation languissante.

L'intérêt de Vladimir et Estragon ne semble s'éveiller que lorsque Pozzo parle de son compagnon, qui s'appelle Lucky et est, selon ses dires, un « knouk », qui est à son service depuis plus de soixante ans, et qu'il s'apprête à aller vendre au marché d'une bourgade proche – alors que pourtant, d'après lui, c'est Lucky qui lui a appris à penser et à sentir. Estragon veut consoler Lucky qui pleure en silence, mais ce dernier lui donne un coup de pied dans le tibia.

Malgré le manque d'enthousiasme de Vladimir et Estragon, Pozzo se réinstalle pour bavarder, se lance dans des tirades lyriques mais poussives, et pour remercier les deux vagabonds de leur (relative) attention, en vient finalement à l'idée de faire danser, puis « penser » Lucky.

On coiffe donc Lucky de son chapeau (qui semble indispensable à cette opération), et il se lance dans un monologue apparemment sans queue ni tête, débité sur un ton de plus en plus frénétique et incohérent, à la surprise, puis à la panique de Vladimir et Estragon, qui doivent prendre le « knouk » à bras-le-corps et lui arracher le chapeau pour qu'il se taise.

On relève péniblement Lucky qui s'est effondré, et l'étrange équipage repart.

L'attente encore

La diversion achevée, Vladimir et Estragon retrouvent leur attente et la lenteur du temps qui passe. La conversation reprend, balbutiante. Il semble que, malgré ce que l'on pouvait penser précédemment, ils connaissaient déjà Pozzo et Lucky, supposés avoir « beaucoup changé ».

Arrive un jeune garçon, qui apporte à « monsieur Albert » (nom sous lequel Vladimir se reconnaît) un message. Vladimir se renseigne davantage : le garçon attendait là depuis un moment, mais a eu peur du fouet et des cris de Pozzo. Finalement le message est transmis : monsieur Godot « ne viendra pas ce soir, mais sûrement demain ». Aux nouvelles questions de Vladimir, le jeune garçon dit qu'il est, de même que son frère, au service de Godot, dont il garde les chèvres, et qui les laisse coucher sur le foin du grenier. Malgré les dénégations du garçon, Vladimir dit le connaître.

Le garçon s'en va, et la lune se lève. Vladimir et Estragon (ce dernier laissant sur place ses chaussures, décidément trop douloureuses) décident de s'abriter pour la nuit, mais sont fermement convaincus que Godot viendra demain. Malgré leur intention déclarée de se mettre en route, « *ils ne bougent pas* ».

■ Acte deuxième

L'attente

Le décor est identique à celui de l'acte I : même paysage, même arbre (mais garni cette fois de quelques feuilles, alors qu'il était totalement dénudé à l'acte I), par terre les chaussures abandonnées par Estragon et le chapeau tombé de la tête de Lucky. La scène est déserte.

Vladimir entre. Il va et vient sur la scène, regarde au loin dans les coulisses, et se met à chanter une sorte de comptine, qui repose sur le principe de la répétition des mêmes paroles à plusieurs reprises.

Estragon arrive, bougon ; il semble s'être encore fait battre. Vladimir et Estragon finissent par tomber dans les bras l'un de l'autre. La conversation reprend et tourne un moment autour de la nécessité ou de l'inutilité pour les deux hommes de demeurer ensemble ; Vladimir surtout semble penser que sa présence protectrice est indispensable à Estragon. Ce sujet épuisé, on retombe dans le thème habituel : on attend Godot.

Tous les espoirs semblent permis, car il y a du nouveau : Vladimir a remarqué que l'arbre a désormais des feuilles ; il se souvient de Pozzo et Lucky, alors qu'Estragon a tout oublié. Vladimir tente de lui rafraîchir la mémoire en évoquant des souvenirs plus lointains, et communs, de séjour dans le Vaucluse, mais sans effet.

Ils finissent tous deux par convenir que s'ils parlent, c'est pour aider le temps à passer, et se lancent dans l'évocation quasi lyrique et inattendue des « voix mortes », qui continuent à se faire entendre longtemps après la disparition de leurs propriétaires, puis des « ossements », qui obscurcissent la pensée (ou du moins le dialogue) qu'ils semblent s'évertuer à développer.

Vladimir en revient à l'arbre, à Pozzo, à Lucky, tente même de recourir aux preuves les plus matérielles pour convaincre Estragon qu'ils étaient bien là la veille : la marque du coup de pied que lui a infligé Lucky est en train de s'infecter, les chaussures sont là, devant eux ; mais Estragon refuse de se laisser convaincre : d'ailleurs, ce ne sont pas ses chaussures qui sont là.

De nouveau tenaillé par la faim, Estragon s'adresse à Vladimir, mais il ne reste même plus de carottes : que des navets et des radis (et encore, des radis noirs, alors qu'Estragon n'aime que les roses).

Un projet finit par émerger : Estragon va enfiler les chaussures qui sont par terre. Il y parvient péniblement, puis s'endort. Mais il se réveille vite en sursaut, affolé par un cauchemar.

Vladimir remarque le chapeau de Lucky, décide de se l'approprier, d'où une scène clownesque d'échanges de couvre-chefs entre les deux compagnons. Une fois qu'il s'en est coiffé, il suggère de jouer les rôles de Pozzo et Lucky (toujours ignorés d'Estragon), mais, malgré le chapeau, ne parvient pas à « penser ».

Ils commencent tous deux à faire le guet pour voir si Godot se décide à arriver : en effet, Estragon, sorti un instant, pense avoir vu arriver quelqu'un.

Du nouveau ?

En fait de Godot, ce sont Pozzo et Lucky qui entrent en scène. Lucky a un nouveau chapeau, la corde par laquelle Pozzo le tient attaché est plus courte, et Pozzo est devenu aveugle. Il appelle au secours. Vladimir et Estragon sont satisfaits de voir que quelque chose de nouveau s'est produit pour les aider à attendre.

Tout en continuant à discourir sur la vie, la pensée, l'attente, Vladimir et Estragon s'interrogent sur l'opportunité d'aider Pozzo, qui est tombé, à se relever : en admettant qu'ils l'aident, le feront-ils moyennant l'espoir d'une rétribution (os de poulet ou argent), ou simplement par humanité ? Finalement le motif pécuniaire l'emporte. Mais l'entreprise s'avère plus ardue que prévu : Vladimir tombe à son tour. Estragon menace de l'abandonner, va finalement pour l'aider, et s'étale, lui aussi.

La position couchée se révélant pleine d'avantages, les deux amis continuent leur discussion ainsi, tentent de dormir, mais les cris de Pozzo les en empêchent. Ils le frappent, le font s'éloigner en rampant, puis s'occupent à l'appeler de divers noms (« Caïn », « Abel »).

Ils se relèvent tous deux, puis remettent Pozzo sur ses pieds et le soutiennent. Celui-ci est anxieux de savoir si c'est le soir, point sur lequel Vladimir et Estragon hésitent un certain temps, incertains de leur orientation et des mouvements du soleil. Sa cécité, explique-t-il, l'a privé de la notion du temps.

Pozzo s'inquiète de Lucky, lui aussi étendu à terre, qu'Estragon va inspecter prudemment. Certain qu'il dort, il le bourre de coups de pied, mais se fait mal. Il tente d'ôter sa chaussure, y renonce, et se couche en chien de fusil.

Pozzo parvient finalement à se tenir debout seul, et s'apprête à partir, coupant court aux demandes d'explication de Vladimir. Lorsque ce dernier lui demande au moins de faire chanter ou « penser » Lucky avant de s'en aller, Pozzo rétorque que son serviteur est muet, sans pouvoir ou vouloir se souvenir depuis quand. Pozzo et Lucky sortent.

L'attente toujours

Vladimir, se sentant seul, va vers Estragon, qui s'éveille, affolé : cette fois, il était plongé dans un rêve heureux. Tandis qu'il s'escrime à nouveau en vain à retirer ses chaussures, il se rendort. Vladimir s'interroge à haute voix sur la réalité, sur les rapports entre veille et sommeil, souvenir et illusion.

Le garçon de la veille revient, porteur du même message et cherchant à nouveau à le transmettre à « monsieur Albert » ; il ne reconnaît manifestement pas Vladimir, qui l'interroge, mais en tire moins de renseignements que la veille : le garçon a bien un frère, qui est malade, il n'a vu ni Pozzo ni Lucky, monsieur Godot « ne fait rien » et a une barbe blanche. Le jeune garçon s'en va.

La lune se lève. Estragon se réveille, se déchausse, pose ses chaussures. Il manifeste une fois encore le désir de partir d'ici, mais Vladimir s'y oppose : il faut attendre Godot. Le succès de l'entreprise étant moins qu'assuré, ils envisagent de se pendre à l'arbre ; ne disposant pour ce faire que de la corde qui sert de ceinture à Estragon, ils en testent la résistance ; la corde lâche. La pendaison devra être remise au lendemain. À moins que Godot ne vienne ?

Vladimir conseille à Estragon de relever son pantalon qui, bien entendu, en l'absence de corde, lui est tombé sur les chevilles. Ils veulent partir. Ils ne bougent pas.

2 – SCHÉMA DRAMATIQUE

■ Une structure ambiguë

Du théâtre classique, *En attendant Godot* conserve globalement les apparences. Cela n'est pas très surprenant de la part d'un auteur qui a étudié la littérature, et qui s'est un temps destiné à l'enseigner, fût-ce de manière peu conventionnelle. C'est ainsi que, à Dublin, il se livra à un pastiche du *Cid* de Corneille sous le titre *Le Kid*, parodie qui joue surtout sur la notion d'« unité de temps » qui causait tant de soucis à Corneille (et surtout dans *Le Cid*, précisément). C'est ainsi encore que des étudiants irlandais qui lui étaient confiés gardèrent un souvenir étonné mais ravi des cours que leur fit Beckett sur l'*Andromaque* de Racine, dont il décrivait la structure au moyen d'amusants croquis où tous les personnages se couraient les uns après les autres – ce qui est effectivement la meilleure manière d'illustrer le mécanisme tragique de cette pièce.

Dès ses premiers essais littéraires, la modernité de Beckett est flagrante. Mais les textes les plus anciens que l'on connaît de lui, que ce soit en anglais ou en français, relèvent tous de la poésie, de la critique littéraire ou de la prose narrative. Soyons conscients que ces étiquettes désignent médiocrement des œuvres si éloignées des normes, mais en tout cas il ne s'agit pas de théâtre.

Pour le théâtre, mise à part l'œuvrette de circonstance du *Kid* que nous venons d'évoquer, Beckett n'écrit presque rien en anglais dans la première phase de sa carrière : sa première tentative date des années trente et s'intitule *Éleuthéria*, mais il portait sur elle un jugement suffisamment sévère pour s'opposer à sa publication, cela jusqu'à sa mort, alors qu'en 1970 il finit par autoriser par exemple la sortie de son premier roman français, *Mercier et Camier*. (La pièce *Éleuthéria* a néanmoins été éditée depuis son décès, de même que la traduction française de son essai sur *Proust*.)

L'essai d'*Éleuthéria* est donc inachevé et insatisfaisant (Beckett dira certes qu'*En attendant Godot* est sa deuxième pièce, *Éleuthéria* demeurant la première, mais il traitera toujours avec brusquerie ceux qui voudront s'intéresser à cette tentative). *En attendant Godot*, en revanche, la première pièce de théâtre en français en tout cas, a paru d'emblée suffisamment acceptable à son auteur pour qu'il veuille la publier et la faire représenter sur scène. Par la suite, il apportera une multitude de changements mineurs au texte et à sa conception de la dramaturgie, à l'occasion de traductions et de mises en scène successives. Pourtant, dès la première réédition française, légèrement amendée, le texte publié est définitif. On peut donc légitimement penser qu'il était jugé par Beckett non pas réussi peut-être, mais convenable.

Dès lors, il convient de prendre tout ce qui, dans la pièce, peut apparaître étrange comme des éléments placés là volontairement par Beckett. De cette étrangeté participe la cohabitation paradoxale, dans le même texte, d'une structure d'ensemble globalement traditionnelle et d'une construction de détail inattendue.

■ Texte spiral ou texte cyclique ?

Lorsque la lecture ou la représentation de la pièce est achevée, l'une des premières questions qui viennent à l'esprit est : dans *En attendant Godot*, les choses recommencent-elles sans fin, ou progressent-elles vers un terme malgré les réitérations ?

En effet, on ne peut qu'être frappé par le retour, du premier au deuxième acte, de situations, de gestes, de répliques, qu'il s'agisse de l'attente de Vladimir et Estragon, marquée par les mêmes séries de questions et de réponses, de l'intervention de Pozzo et Lucky, du message apporté à la tombée de la nuit par le jeune garçon, de la préoccupation constante de faire passer le temps durant l'attente.

Pourtant, les modifications sont tout aussi visibles : dégradation physique de Pozzo et Lucky, changement minime du décor, expressément noté par Vladimir (l'arbre, entièrement dénudé au premier acte, a quelques feuilles au deuxième), davantage de précisions obtenues par le même Vladimir quant à Godot. Beckett a néanmoins toujours affirmé, au sujet de l'arbre par exemple, que la présence des feuilles était là pour indiquer le passage du temps d'un acte à l'autre, et non un quelconque sentiment de renouvellement ou d'espoir – ce à quoi l'on pourrait objecter que le processus aurait pu être inverse (chute au deuxième acte de feuilles présentes au premier), et que les dialogues sont partiellement en contradiction avec cette affirmation, puisque Vladimir rappelle à de nombreuses reprises qu'une journée seulement a passé depuis le premier acte.

En réalité, tout dans la pièce est fait pour plonger le lecteur ou spectateur dans le doute, l'incertitude, l'instabilité. Nous n'avons aucune raison objective de préférer la mémoire inexacte de Vladimir à l'amnésie d'Estragon, ni les signes d'évolution aux marques de stagnation. Le schéma de la pièce est donc en définitive double, et destiné à nous laisser face à notre perplexité : l'action est peut-être cyclique, recommençant sans cesse à de menus détails près, ou elle est peut-être spirale, c'est-à-dire engagée dans une évolution lente dont quelques signes se manifestent à chaque nouvelle journée.

En réalité, la grande nouveauté du théâtre de Beckett est son aspect ouvert. Chez Racine aussi bien que chez Molière par exemple, le début d'une pièce présupposait divers événements antérieurs qu'il s'agissait d'expliciter, généralement dès le premier acte. Dans *En attendant Godot*, il y a bel et bien un passé des deux personnages, de leur conscience et de leurs actes, mais à aucun moment ces éléments ne sont directement explicités : nous n'en obtenons que des aperçus, parfois contradictoires.

La différence est plus essentielle en ce qui concerne la fin de la pièce : dans le théâtre classique, la fin marque à tout le moins la résolution des conflits majeurs ouverts au cours de la représentation ; cela ne signifie pas que les personnages soient privés de devenir lorsque le rideau tombe, mais simplement que ce qui a été en jeu dans la pièce a trouvé sa conclusion, conforme aux désirs des uns, funeste aux autres. Dans *En attendant Godot*, rien de cela : l'action est laissée en suspens, d'autant que le deuxième acte se clôt presque exactement comme le premier. Aucune des questions qui ont pu se poser, à Vladimir et Estragon comme aux spectateurs, n'a trouvé de réponse, et rien n'indique du reste qu'elles soient destinées à en trouver une à un point quelconque en aval des journées décrites sur scène.

On peut par conséquent parler d'une structure ouverte, sous l'aspect particulier d'une circularité dont le mouvement même semble interdire toute notion définitive de début et de fin.

3 – PERSONNAGES

■ Vladimir et Estragon

Du pareil au même ?

Il semble presque impossible de traiter séparément les personnages de Vladimir et Estragon, qui sont presque constamment présents ensemble sur scène, et semblent très proches l'un de l'autre par bien des aspects.

Tout d'abord ce sont deux sortes de vagabonds. L'indication n'est pas donnée explicitement par Beckett, mais ressort de divers détails présents dans le texte. Cela se vérifie au niveau de l'aspect physique et de l'habillement en premier lieu : chaussures d'Estragon et chapeau de Vladimir hors d'âge (ce sont du reste des chapeaux melons, une note nous le précise, et ce type de chapeau était déjà fort démodé au lendemain de la guerre), et de surcroît perpétuellement mal ajustés, pantalon d'Estragon déboutonné au début et tenu par une corde en guise de ceinture, mauvaise odeur exhalée par les deux hommes (Estragon reproche à Vladimir de « puer l'ail », tandis que Pozzo se plaint de l'odeur d'Estragon, qu'il est heureux de voir s'éloigner de quelques pas). Les deux hommes accusent ensuite toutes sortes de maux qui peuvent être imputés à parts égales à leur âge, qu'on suppose avancé, et à leur vie errante et sans soins : plaies d'Estragon, douleurs au bas-ventre pour Vladimir, et pour tous deux raideur générale des mouvements.

Ce statut de vagabonds se marque aussi dans leur mode de vie. Chaque soir, ils doivent chercher un abri, et cela ne sert pas à grand-chose dans le cas d'Estragon, qui dort dans un fossé et se fait apparemment battre chaque nuit par des inconnus. Il semble d'ailleurs extrêmement fatigué, et a tendance à s'endormir à tout propos. Ils souffrent de la faim, surtout Estragon : Vladimir n'a que des carottes et des navets, puis que des navets et des radis (noirs !) à lui proposer, des légumes probablement arrachés dans les champs ; Estragon se contente très volontiers des os du poulet que déguste Pozzo, et tente d'en obtenir une seconde fois au deuxième acte. Tous deux semblent disposés à solliciter des aumônes de Pozzo moyennant quelques menus services, et la raison même pour laquelle ils attendent Godot pourrait être liée au désir de se faire embaucher par lui et de pouvoir ainsi, comme le jeune garçon et son frère, dormir chaque nuit sur le foin de son grenier.

Les deux hommes semblent aussi partager tout un passé d'errance, bien que fréquemment seul Vladimir en ait le souvenir : séjour dans le Vaucluse, vendanges chez un nommé Bonnely à Roussillon et chute d'Estragon dans la Durance, souvenir des premières années de la tour Eiffel. Nul n'est besoin enfin de souligner la communauté de leurs destinées, les séparations esquissées se résolvant toujours en retrouvailles attendries.

Pourtant, sur scène davantage qu'à la lecture peut-être, on se rend compte que les deux personnages diffèrent sur bien des points, et qu'ils sont davantage complémentaires qu'identiques.

Vladimir

Des deux, Vladimir pourrait être défini comme « l'intellectuel ». Il est le seul à disposer d'une conscience à peu près claire du déroulement des événements – même si cette mémoire lucide ne l'aide en rien à déterminer quelle pourrait être la meilleure voie à suivre dans l'avenir. Là où Estragon oublie systématiquement tout ce qui s'est passé la veille, Vladimir voit la réitération des faits (la venue du jeune garçon) et leur progression (la dégradation physique de Pozzo et Lucky).

Cette conscience plus aiguisée l'amène aussi à se poser diverses questions sur le sens de son action (ou de son inaction), voire à adopter des modes de raisonnement proches d'un questionnement philosophique, comme lorsque, peu avant la fin de la pièce, il se demande, voyant Estragon dormir, si lui aussi n'est pas en train de dormir tandis que quelqu'un l'observe. On n'est pas très loin de la célèbre interrogation du philosophe chinois qui, ayant rêvé qu'il était un papillon, se demande si inversement il n'est pas un papillon en train de rêver qu'il est un homme.

Vladimir essaie donc, dans la mesure de ses maigres moyens, de comprendre ce qui se passe, de mettre les idées et les événements en rapport les uns avec les autres. Cela ne l'empêchera pas de se livrer occasionnellement à quelques distractions ou facéties, comme sa petite chanson du début de l'acte II. Mais le fond sérieux n'est jamais loin : la mise en miettes du chien de la chanson et son ensevelissement semblent le laisser songeur, voire attristé. Il est en fait assez enclin au pessimisme, à la mélancolie, comme l'indiquent ses changements de ton lorsqu'il retrouve Estragon à l'acte II : « (*joyeux*) te revoilà… (*neutre*) nous revoilà… (*triste*) me revoilà. »

Vladimir est enfin le plus fataliste des deux. Il doit sans cesse rappeler à Estragon, qui veut partir, qu'ils ne peuvent pas car ils attendent Godot. Pourtant, lorsqu'il aurait la possibilité, à deux reprises, de transmettre un message à Godot par l'intermédiaire du jeune garçon qui vient lui dire que monsieur Godot ne pourra venir ce soir, Vladimir, malgré un moment de réflexion, ne trouve rien d'autre à transmettre que le fait que le garçon l'a bel et bien vu. A-t-il peur de voir se concrétiser un jour la venue de Godot, si longtemps attendu, qu'il renonce ainsi à lui faire dire quoi que ce soit de précis ? Ou est-il tellement sûr de l'inutilité de toute démarche qu'il préfère s'abstenir ?

De tous les personnages de la pièce, Vladimir est celui qui justifie le mieux le titre : c'est lui surtout qui attend Godot, Estragon ne fait que suivre son exemple. Mais dans le même temps il est aussi celui qui exprime le mieux la vacuité de cette attente.

Estragon

Plus passif que Vladimir, Estragon subit le déroulement des choses sans aucun effort de volonté. Ou lorsqu'il désire quelque chose (manger, s'en aller), il s'en remet à Vladimir pour satisfaire ce désir (en le nourrissant) ou pour l'en dissuader (en lui rappelant qu'ils doivent attendre Godot).

Il est essentiellement préoccupé de problèmes physiologiques, grands ou petits. De toute la pièce, il ne parvient jamais à trouver chaussure à son pied, passant son temps à essayer de retirer ses souliers qui lui font mal ou à en enfiler d'autres qui s'avèrent trop étroits. Il est tiraillé par une faim que ne rassasient pas les carottes, navets et radis de Vladimir, ni même les os de poulet de Pozzo. Il est souvent fatigué, s'endort d'un bloc comme un enfant, mais est réveillé par des cauchemars. Il ne trouve pas d'abri pour dormir, couche dans le fossé, se fait attaquer et battre par des inconnus. De la part de Lucky aussi, il reçoit un violent coup de pied, mais lorsque, au deuxième acte, il a l'opportunité de s'en venger, c'est lui-même qui se fait mal au pied en frappant son ennemi à terre.

Il semble toujours disposé à céder à ses impulsions du moment, dont celle qui revient le plus fréquemment est le désir d'en finir : soit en s'en allant de ce lieu, quitte à avoir attendu Godot pour rien, ou, plus radicalement, en recourant au suicide. « Si on se pendait ? », lance-t-il inopinément au fil de la conversation. Au deuxième acte, c'est même lui qui fournit l'instrument de cette pendaison : la corde qui lui tient lieu de ceinture, et qui sera trop usée pour résister à l'épreuve. Il semble du reste qu'il n'en soit pas à son coup d'essai dans ce domaine, puisqu'il rappelle qu'il s'est jeté un jour dans la Durance.

Le souvenir de ce plongeon dans la Durance est d'ailleurs l'une des rares occurrences où la mémoire ne lui fait pas entièrement défaut. Estragon est incapable de se souvenir de ce qui s'est passé la veille, et met même à l'occasion beaucoup de mauvaise volonté à s'en souvenir, inventant diverses arguties face aux preuves qu'avance Vladimir de leur présence la veille au même endroit. Plus précisément, il semble perdre au fur et à mesure le souvenir des événements récents, mais garde présents à l'esprit certains détails anciens : ainsi des cartes de la Terre sainte qu'il a vues dans la Bible, étant enfant, et au sujet desquelles il se souvient encore que le bleu pâle de la mer Morte lui donnait des idées de lune de miel et de plongeon.

Peut-être convient-il d'être attentif au fait que c'est Estragon qui ouvre et ferme la pièce. Ne pouvant retirer sa chaussure, il prononce la première réplique : « Rien à faire. » Quant à la fin de la pièce, elle reprend les mêmes répliques que la fin de l'acte premier, mais en inversant l'ordre des personnages qui les prononcent : alors qu'au premier acte, au « Alors, on y va ? » d'Estragon répondait le « Allons-y » de Vladimir, à la fin en revanche c'est Vladimir qui demande « Alors, on y va ? » et Estragon qui conclut (si l'on peut dire) par un « Allons-y. » Dans un cas comme dans l'autre, c'est peut-être lui qui exprime le pessimisme le plus profond, quoique en partie involontaire : son « Rien à faire » ne concerne que sa chaussure, et c'est Vladimir qui se charge de lui donner une signification plus existentielle ; en revanche, son « Allons-y », suivi de la mention « *Ils ne bougent pas* », semble bien marquer la défaite concrète du projet de départ, de changement, qu'Estragon a réussi à instaurer en parole.

Les deux font la paire

Si l'on admet donc que les deux personnages de Vladimir et d'Estragon, loin d'être superposables, sont en fait très différents et plutôt complémentaires, on peut s'interroger sur la signification que revêt leur relation.

Le sens le plus clair, et il est incontestable, est que Vladimir et Estragon sont l'un des plus intéressants couples d'amis qu'ait donnés récemment la littérature. Face à la misère de leur existence, c'est en grande partie leur fraternité qui leur permet de continuer, soit qu'ils passent le temps en dialogues sans fin, soit qu'ils se disputent à l'occasion, soit qu'ils se réconcilient, soit qu'ils s'énervent, soit qu'ils s'apitoient. Leur relation, dans le dénuement même de l'action, est tissée des mille événements infimes qui font l'existence, et dont ils se font une raison de vivre.

Face au couple violemment dissymétrique que forment Pozzo et Lucky, ils symbolisent l'égalité d'une camaraderie que même l'absence de signification ou de finalité de leurs actes ne parvient pas à atténuer autrement que temporairement. Il semble bien qu'ils se quittent chaque soir pour se retrouver le lendemain, mais c'est là surtout pudeur, désir d'équilibrer par la solitude les tracas de la vie à deux, ou application d'une règle non écrite qui, dans cet étrange lieu, s'imposerait à tous les vivants.

Que cette fraternité repose sur le naufrage d'espoirs plus anciens (où est la lune de miel dont Estragon rêvait face au bleu pâle de la mer Morte ?) ne fait pas de doute. Mais cela ne retire rien à l'espèce d'optimisme paradoxal qui en émane.

Bien sûr, il est loisible de rechercher en eux un symbolisme plus fin. On a pu dire ainsi que Vladimir et Estragon représentent, sous une forme volontairement caricaturale, la dualité que distingue la philosophie classique entre l'âme (Vladimir le penseur, le questionneur) et le corps (Estragon le gourmand, le paresseux, le sans-mémoire). Les sur-noms mêmes qu'ils se donnent peuvent accréditer cette hypothèse : si l'on se souvient que Beckett était parfaite-ment bilingue, le « petit nom » de Vladimir, Didi, peut dénoter celui qui sans fin « dit, dit », tandis que celui d'Estragon, Gogo, renverrait à celui qui « va, va » (« go, go » en anglais). Dénominations certes ironiques, puisque Vladimir ne parvient pas à dire quoi que ce soit de bien cohérent, et qu'Estragon ne va en fait jamais nulle part, mais indication éventuelle d'une sorte de plai-santerie beckettienne ridiculisant sous la forme de ces deux pauvres hères deux des notions les plus chères à la philosophie occidentale.

En tout état de cause, sans s'interdire ce genre de pirouette qui n'est pas étrangère à l'humour de l'au-teur, il convient de refuser, face à une œuvre de Beckett, le dogmatisme d'une interprétation à sens unique, et de laisser se déployer sur l'espace de la scène les significations qui émanent du déroulement même du texte. Vladimir et Estragon nous apparaissent avant tout comme le recours (fût-il mince) que peut fournir la compagnie d'autrui face au malheur de vivre.

■ Pozzo et Lucky

Un cas d'école

Le couple formé par Pozzo et Lucky, dans l'écart monstrueux qu'il représente par rapport à la normalité, nous frappe d'emblée, que nous soyons spectateurs ou lecteurs, comme porteur sans doute d'un sens que nous sommes moins enclins à chercher immédiatement dans la paire Vladimir/Estragon qui, pour être hors du commun, n'en relève pas moins des cadres de l'huma-nité « acceptable ».

Le ton du rapport entre Pozzo et Lucky est donné, pourrait-on dire, avant même leur entrée en scène, par les cris du premier et les claquements du fouet qui se font entendre de la coulisse. La relation est celle du maître au valet, voire à l'esclave. En fait, Lucky incarne quelque chose de si opposé à la conception que l'on se fait d'un homme, doué sinon de liberté, du moins de libre arbitre, que l'on n'est pas étonné lorsque Pozzo nous apprend que ce n'est pas un homme, mais un « knouk ». Le sens de ce néologisme demeure imprécis, mais le terme est assurément dépréciatif.

L'aspect caricatural des liens qui unissent Pozzo à Lucky peut nous inciter à y voir, dans le même esprit que l'allégorie dérisoire du dualisme âme-corps incarné par Vladimir et Estragon, une figuration volontairement simpliste et ridicule de la relation maître-esclave telle que la décrit le philosophe Hegel. Dans un premier temps, le maître prend le pouvoir, absolu, sur l'esclave : c'est la base même du couple Pozzo-Lucky. Mais le maître, dégagé de l'obligation de travailler, se trouve ainsi coupé de la réalité matérielle, tandis que l'esclave, qui agit, apprend par la même occasion, acquiert des savoirs et des savoir-faire que le maître n'a pas : d'où le fait que Pozzo déclare avoir appris de Lucky toutes sortes de choses, et d'abord la pensée. Enfin le maître est victime de son incapacité à maîtriser la réalité, et l'esclave prend le dessus : peut-être ce processus est-il en cours dans le deuxième acte, où Pozzo, infirme, a perdu beaucoup de sa superbe, et doit presque s'en remettre à Lucky plutôt que le commander.

Mais là encore, cette interprétation, plausible au regard du plaisir qu'avait Beckett à mettre dans ses textes des éléments de plaisanterie plus ou moins érudite, ne suffit pas. Plus profondément, face au couple « égalitaire » de Vladimir et Estragon, qui stagne mais ne s'enfonce pas, la paire Pozzo-Lucky peut indiquer une manière d'être avec autrui qui est vouée à l'échec et à la déchéance : le rapport de pouvoir avilit davantage le persécuteur que le persécuté, semble nous dire Beckett, et l'humanité de tous deux en sort meurtrie.

Pozzo

Des deux personnages, Pozzo serait assurément le plus pitoyable, s'il n'était aussi le plus ridicule. Vêtu comme une sorte de gentleman-farmer faisant la tournée de ses propriétés (il reproche à Vladimir et Estragon d'être sur ses terres), il semble incarner la suffisance et la bêtise bourgeoises.

Pozzo en réalité n'est rien en tant qu'individu : il n'existe qu'en fonction d'autrui, du rapport de domination qu'il peut établir avec autrui. Cette domination est concrète, flagrante avec Lucky, elle tente sans cesse de s'établir avec Vladimir et Estragon, que, sous les dehors d'une politesse parfaitement codifiée, il veut contraindre à l'écouter, voire à l'admirer. Pozzo est sans cesse pris dans un double mouvement : il mène la conversation avec ce qu'il pense être l'habileté d'un fin stratège, mais il est incapable de garder pour lui-même la finesse de sa stratégie, stratégie à laquelle d'ailleurs Vladimir et Estragon restent étrangers : voyant que ses insinuations restent sans effet, il suggère par exemple aux deux hommes de lui demander de se rasseoir ; il ne manque pas de s'enquérir de l'effet qu'a produit sa tirade lyrique improvisée – tout en sachant que la politesse minimale veut qu'on lui réponde qu'il a été très bon.

Satisfait de soi, amoureux de son bien-être, il incarne l'attitude des bien-pensants, qui ne voient pas de contradiction à opprimer autrui tout en dissertant à grand renfort de citations de la mythologie gréco-romaine sur la raison des choses et la beauté du monde. Lorsqu'on lui demande pourquoi Lucky ne dépose pas les bagages, il répond, non sans avoir appelé l'attention de son public : « N'en a-t-il pas le droit ? Si. C'est donc qu'il ne veut pas . Voilà qui est raisonné. Et pourquoi ne veut-il pas ? (*Un temps.*) Messieurs, je vais vous le dire. » Pauvre rhétorique de médiocre raisonneur, restant à la surface de son propre discours, loin de toute réalité.

Il reste à savoir pourquoi, de tous les maux possibles, c'est la cécité qui frappe Pozzo au deuxième acte. La réponse est peut-être à chercher dans les allusions faites par les personnages mêmes aux devins de l'Antiquité, dont la cécité était parfois garante de la clairvoyance que, à titre compensatoire pourrait-on dire, ils détenaient de l'avenir (ainsi de Tirésias, le plus célèbre d'entre eux, dans la mythologie grecque). Nouvelle dérision bien sûr à l'encontre de Pozzo, qui n'a pas plus de don de seconde vue que de jugeote, et qui, loin d'être grandi par son malheur, est désormais un vieillard pitoyable, incapable de se relever lorsqu'il tombe, et de se tenir debout lorsqu'on le relève.

Observons toutefois qu'il prononce inopinément une phrase qui, pour ce que l'on connaît de Beckett, exprime assez précisément la conception de la vie qui se lit dans ses œuvres : « [...] un jour nous sommes nés, un jour nous mourrons, le même jour, le même instant, ça ne vous suffit pas ? (*Plus posément.*) Elles accouchent à cheval sur une tombe, le jour brille un instant, puis c'est la nuit à nouveau. » Ce passage est à mettre en rapport avec le fait que Pozzo transporte du sable dans ses valises : symbole classique du temps qui passe, de l'irréversibilité des choses, dont sa chute même est la pathétique image.

Lucky

Lucky est assurément le personnage le plus énigmatique d'*En attendant Godot*. Il ne prononce qu'une seule réplique (mais quelle réplique !), il semble absolument dénué de volonté propre, de désir, d'individualité presque. Pozzo le désigne comme un « knouk », catégorie qu'il peut au mieux rapprocher de la position classique du bouffon, et qui d'emblée place Lucky en quelque sorte en dehors des problèmes humains qu'affrontent Vladimir, Estragon, et même Pozzo.

Son nom (à supposer que ce soit le sien, et non un sobriquet dont l'aurait affublé Pozzo, comme cela se passait fréquemment pour les laquais) est d'une ironie cruelle, puisque l'adjectif anglais « lucky » signifie « chanceux », « heureux », ce aux antipodes de quoi doit apparemment le placer son statut de « knouk ».

Son apparence physique est encore plus misérable que celle des deux vagabonds : il a de longs cheveux blancs, son cou est déchiré par la corde au bout de laquelle le tient Pozzo, il est accablé sous la charge des bagages de son maître (bien que, précise ce dernier, il porte comme un porc !), il est épuisé jusqu'à la somnolence, sa bouche écume, il a, au deuxième acte, au moins autant de difficulté que Pozzo à se relever après sa chute. Le fait que Pozzo veuille aller le vendre à la foire le désigne clairement comme bête de somme, animal (mais l'homme n'appartient-il pas au règne animal ?). Du reste, sa réaction agressive lorsque Estragon vient l'observer d'un peu trop près est celle d'un chien hargneux ou d'un cheval nerveux.

On observe néanmoins que Lucky est le seul à avoir une réaction typiquement humaine : il pleure, alors que les autres, lorsqu'ils souffrent (physiquement ou moralement), s'expriment plutôt par des cris ou des lamentations. Beckett ne se contente pas de faire mentionner ces larmes par Estragon, mais il donne ces pleurs comme indication de jeu (sachant pourtant que les larmes sont très difficiles à simuler pour beaucoup d'acteurs, et qu'elles ne peuvent être aperçues au mieux que par les spectateurs des tout premiers rangs).

Et pourtant, dans un moment de faiblesse, Pozzo confesse à Vladimir et Estragon que le peu de bon qu'il y a en lui (capacité de réfléchir, même mal employée, sens de la beauté, même perverti par des clichés ridicules), c'est à Lucky qu'il le doit : « Sans lui, je n'aurais jamais pensé, jamais senti, que des choses basses [...]. La beauté, la grâce, la vérité de première classe, je m'en savais incapable. Alors j'ai pris un knouk. » Lucky pourrait-il être alors une figure du penseur, de l'artiste ? De même qu'Estragon affirme à Vladimir avoir été poète, semblant voir une relation de cause à effet entre cette activité et les guenilles qu'il est réduit à porter, Lucky pourrait symboliser le statut de celui qui vit pour penser ou sentir, et à qui la société ne fait place qu'aux lieux les plus humbles : Beckett, pour avoir souvent frôlé la misère, le savait mieux que tout autre.

Il est vrai que, de cette humiliation, l'on peut se venger en disant son fait au monde. Et peut-être est-ce à cela que s'attache Lucky, dans son monologue, dont l'aspect absurde et incohérent peut receler le sens ultime (ou non) de la pièce : mais nous en réserverons l'étude pour une autre partie de l'ouvrage.

■ Godot et ses serviteurs

Godot

Reste le personnage le plus souvent cité mais le moins souvent vu de la pièce : Godot lui-même. Il vérifie, jusqu'à l'absurde, l'hypothèse selon laquelle un personnage de théâtre peut être plus efficace lorsqu'il n'est pas sur scène : c'est le cas, par exemple, dans *Bajazet* de Racine, où le sultan Amurat, qui n'apparaît pas, provoque par la seule rumeur de sa venue prochaine une cascade de morts violentes dans le sérail.

À vrai dire, Godot n'est pas parfaitement abstrait, puisque l'on verra à deux reprises son (ou ses) envoyé(s), venu(s) informer Vladimir et Estragon que, s'il ne viendra pas ce soir, il viendra en revanche le lendemain (même si le deuxième acte prouve évidemment que cette promesse fonctionne exactement comme celle du coiffeur qui laisse en permanence affiché sur sa vitrine un panneau « Demain, on rase gratis »). Encore faut-il noter que, dans la version initiale, c'était une lettre de Godot qu'apportait le jeune garçon : mais cela conférait décidément trop de matérialité à Godot, et l'on se contenta ensuite d'un message oral.

Par ailleurs, Vladimir sollicite du messager quelques renseignements sur son employeur : c'est ainsi qu'au premier acte on apprend que monsieur Godot bat le frère du jeune garçon, mais pas le garçon lui-même (sans qu'on puisse néanmoins affirmer qu'il l'aime), qu'il les nourrit et les laisse coucher dans le grenier. Au deuxième acte, Vladimir s'enhardit jusqu'à demander des précisions sur les activités de Godot (il ne fait rien) et sur son aspect physique (il a une barbe blanche).

La prolifération ludique des indices pointe bien sûr vers l'équation « Godot = Dieu » (nous y reviendrons), mais Godot pourrait aussi bien être une sorte de super-Pozzo, plus puissant mais moins violent, régentant ses domaines, et de qui Vladimir et Estragon puissent avoir quelque aumône ou faveur à attendre.

Cela dit, le personnage et l'identité de Godot étant (peut-être) au cœur du sens de la pièce, nous en réserverons l'étude plus approfondie pour la partie thématique de cet ouvrage.

Le(s) garçon(s)

Plus matériel est le messager de Godot qui, lui, nécessite du moins un acteur pour l'interpréter ! Il est impossible de savoir si le garçon qui vient à la fin du deuxième acte est bien, comme il l'affirme, le frère de celui qui est venu au premier, ou s'il s'agit du même, frappé de la même étrange amnésie que celle qui a frappé Pozzo. Beckett indique clairement : « *Entre à droite le garçon de la veille* », et c'est toujours le même acteur qui apparaît les deux fois, mais le spectateur ou le lecteur n'obtiennent là-dessus aucune certitude.

Le personnage est en tout cas falot, ne nécessite assurément pas d'être interprété par un acteur particulièrement doué, et se montre d'une grande passivité face à Vladimir. L'indication selon laquelle, des deux frères, l'un est battu par Godot et l'autre non (Vladimir en concluant que ce dernier est aimé de Godot) pointe, dans la direction de la Bible, vers les figures d'Abel et Caïn (citées dans le texte au cours de l'acte II, au demeurant). Mais le garçon est aussi le seul personnage « moyen » de la pièce, celui qui se rapproche le plus de l'humanité « normale », et dont on peut comprendre qu'il soit effrayé au premier acte par l'aspect de Pozzo et Lucky ou le ton brutal d'Estragon, et au deuxième par les gestes brusques de Vladimir.

Telle est pourtant notre impression d'un monde parfaitement cohérent, dans son mystère et son aberration mêmes, tel que nous le montre la pièce, que nous ne pouvons décidément pas nous intéresser en tant que personnage à cet unique représentant de la normalité : force d'un théâtre où l'exception est la norme, et d'où toute tentative de réalité est bannie, si elle ne passe pas par la poésie de la scène.

4 – LE STYLE

■ Une langue étrangère

Un choix d'écriture

Quand Beckett écrit *En attendant Godot* (en 1948), cela fait trois ans environ qu'il a choisi de s'exprimer dorénavant en français. Ce choix a résulté d'une insatisfaction vis-à-vis de ses œuvres antérieures en langue anglaise.

En effet, pour qui lit les premiers textes anglais de Beckett, ce qui frappe d'abord, c'est l'extrême virtuosité verbale de l'auteur : emploi de termes rares, de tournures inattendues, jeux de mots complexes, tout cela lui vient, par l'intermédiaire entre autres de James Joyce, d'une riche culture classique, « digérée » et retravaillée dans l'optique d'une prose anglaise modernisée. Mais cette virtuosité même finit par devenir un handicap pour Beckett, à deux titres au moins : d'une part, il aura beaucoup de mal à se démarquer franchement du modèle de Joyce que, on l'a vu, il a fréquenté assidûment à Paris, qu'il admire depuis longtemps, et qu'il ne peut espérer surpasser en maîtrise après les chefs-d'œuvre que sont *Ulysse* ou *Finnegans wake* ; d'autre part, la facilité remarquable avec laquelle il manie sa propre langue lui rend plus difficile un véritable travail d'écriture, en ce sens qu'à chaque mot tant de possibilités lui sont offertes qu'il n'a en quelque sorte qu'à choisir parmi les trouvailles brillantes qui affluent, et cela nuit à ce qu'il pense être la nécessité d'une véritable recherche sur le sens.

Par ailleurs, Beckett n'est pas un bilingue complet, comme peut l'être un enfant né de parents issus de deux cultures différentes : il a grandi dans un milieu anglophone, et n'a découvert les langues étrangères qu'à l'occasion de ses études. Il est vrai qu'il a alors rattrapé, si l'on peut dire, le temps perdu, puisqu'il maîtrise parfaitement le français et, presque aussi bien, l'allemand, et, à un niveau moindre, l'italien et l'espagnol. Mais le français demeurera toujours pour lui une langue acquise, dans laquelle il est parfaitement à l'aise, mais qu'il peut plus aisément tenir à distance que l'anglais.

Une part non négligeable de l'œuvre de Beckett est constituée de traductions : traductions de ses propres textes français en anglais et inversement, mais aussi traductions d'œuvres étrangères, principalement françaises; en anglais (dont des poèmes de Rimbaud, d'Apollinaire, plus tard une pièce de son ami Robert Pinget). Et dans les années 1950, il recommence à écrire une partie de ses textes en anglais : sa décision de la fin de la guerre n'est donc pas absolue ni irrévocable.

Pourtant, en abordant *En attendant Godot*, alors qu'il ne s'est essayé auparavant en langue française qu'à quelques poèmes et à des textes romanesques, Beckett demeure fidèle à cette décision, ce qui est loin d'aller de soi, car une pièce de théâtre, même composée dans un style volontairement éloigné de la langue quotidienne, comportera nécessairement des éléments d'oralité qui peuvent être tout à fait absents d'un roman.

Ce choix participe donc de la volonté d'étrangeté qui, pour lui, réside dans l'emploi d'une langue tout de même étrangère, et pour le public, résidera dans le caractère inattendu voire, au regard des normes de l'époque, scandaleux de la pièce.

Le plaisir des mots

Le philosophe d'origine roumaine Cioran, ami de longue date de Beckett, et l'un des grands cyniques de notre temps, qui, lui aussi, avait choisi de s'exprimer en français, raconte comment ils ont ensemble passé des heures à chercher un équivalent possible au titre anglais d'une des œuvres tardives de Beckett, *Lessness*, et explique comment, face à la difficulté du français à dériver des mots, contrairement à l'anglais, Beckett renonça finalement au dérivé latin, d'apparence trop savante, « Sinéité », pour se contenter d'un simple *Sans*. D'autres ont dépeint Beckett plongeant longuement dans le grand dictionnaire français de Littré, fleuron insurpassable de la lexicologie du dix-neuvième siècle, à la recherche d'un mot juste.

Si l'on ajoute à cela le fait que Beckett a conçu ses premières tentatives théâtrales comme une sorte de délassement qui puisse le distraire des affres dans lesquelles le plonge la rédaction de ses romans (*Molloy*, *Malone meurt*, puis *L'Innommable*), on comprend qu'il ait pris plaisir, dans *En attendant Godot*, à souvent jouer avec la langue française, parfois de manière volontairement pataude, ou au point de pouvoir dérouter un lecteur ou spectateur francophone.

Si l'on considère par exemple la réplique de Vladimir : « En effet, nous sommes sur un plateau. Aucun doute, nous sommes servis sur un plateau », le jeu de mots sur le double sens de « plateau », terme géographique d'une part, et d'autre part terme faisant partie d'une expression signifiant « vivre dans l'aisance », on pourra au mieux sourire, la plaisanterie semblant quelque peu « tirée par les cheveux ». Cela n'implique pas de maladresse de la part de l'auteur, mais plutôt le choix d'utiliser des répliques dénotant (chez le personnage ou chez lui-même) une certaine lourdeur, ou un goût de l'à-peu-près, que, si l'on n'était dans une pièce française, on pourrait dire assez proche de l'humour populaire irlandais.

En revanche, lorsque Vladimir demande à Estragon de quoi ils ont parlé la veille, et que ce dernier répond : « Oh… à bâtons rompus, peut-être, à propos de bottes. (*Avec assurance.*) Voilà, je me rappelle, hier soir nous avons parlé à propos de bottes », il semble probable que la plaisanterie soit passée inaperçue de nombreux spectateurs. En effet, l'expression « à propos de bottes », signifiant « hors de propos », est déjà assez désuète après la guerre, et le jeu de mots entre ce sens-là et le sens, plus évident, de « chaussures » (qui sont en effet l'objet d'une bonne part des échanges entre les deux hommes), a pu échapper à beaucoup. On imagine sans peine la jubilation de Beckett à laisser percevoir au public une plaisanterie médiocre (celle du plateau) tout en en glissant une autre (celle des bottes), plus subtile au point sans doute d'être largement inaperçue.

Cette jubilation se trouve aussi dans la prolifération, par endroits, de termes qui, loin d'être indispensables, ne sont là, dirait-on, que parce que leur intérêt est d'être plus ou moins rares. Ainsi, lorsque Pozzo a égaré sa pipe, il se demande d'abord : « Qu'est-ce que j'ai fait de ma pipe ? », puis : « Mais qu'ai-je donc fait de ma bruyère ! », ce à quoi Estragon réplique : « Il a perdu sa bouffarde ! », avant que Pozzo ne reprenne : « J'ai perdu mon Abdullah ! » (il s'agit cette fois non d'un nom commun, mais d'une marque de pipes) ; on va ici du terme le plus simple aux plus rares, ce qui certes correspond bien aux dispositions de Pozzo, dont la culture bourgeoise et classique doit rejeter par principe la répétition, mais indique aussi le pur plaisir de la prolifération verbale.

■ Une langue étrange

Le mélange des registres

Les remarques que nous venons de faire, relatives à des effets que l'on peut supposer liés au choix de Beckett d'écrire sa pièce en français, peuvent en fait être placées, sans discontinuité, dans le cadre plus général d'un style fait pour étonner le lecteur, et peut-être plus encore le spectateur.

De cette volonté de surprendre participe le mélange de divers registres de langue. Le fait n'est pas inédit, mais d'habitude les niveaux de langue différents sont mis dans la bouche de personnages également différents. C'est le cas dans la comédie classique, de Molière à Beaumarchais. Mais chez Beckett ce sont les mêmes personnages qui pratiqueront alternativement le sublime et le vulgaire.

L'exemple le plus net est à chercher dans la tirade de Pozzo où, après s'être lancé dans une évocation lyrique (quoique poussive) du soleil et de la nuit (« mais, derrière ce voile de douceur et de calme […] la nuit galope »), il conclut par un désabusé : « C'est comme ça que ça se passe sur cette putain de terre », jetant lui-même à bas le fragile édifice poétique qu'il s'est évertué à créer.

Quant à Vladimir, il s'étonne et doute de lui-même lorsqu'il se lance occasionnellement dans une tournure inhabituelle : « Il s'en est fallu d'un cheveu qu'on ne s'y soit pendu. (*Il réfléchit.*) Oui, c'est juste (*en détachant les mots*) qu'on - ne - s'y - soit - pendu. » C'est que le langage chez Beckett, tout en étant le lot commun des hommes, demeure sans cesse objet de stupeur, de questionnements, de remise en cause, que ces modulations ont pour fonction d'exprimer.

Une langue véritablement dramatique

Beckett a toujours refusé de cautionner la moindre interprétation de ses œuvres, y compris et surtout d'*En attendant Godot*, la plus commentée. En revanche, il s'est toujours revendiqué comme une sorte d'artisan, en particulier dans le domaine du théâtre, dont le sens profond pour lui résidait dans des effets à produire par des moyens purement dramatiques, spatiaux ou sonores (parfois purement spatiaux, comme dans ses *Actes sans paroles*, parfois purement sonores, comme dans ses pièces radiophoniques).

À cet égard, *En attendant Godot*, coup d'essai théâtral (si l'on néglige la tentative avortée d'*Éleuthéria*), est aussi un coup de maître. La maîtrise du langage y est patente. C'est vrai de la parole : nous en avons donné quelques exemples. Les dialogues ne sonnent jamais faux, les effets comiques tombent juste. C'est vrai aussi du rythme : en effet, l'indication de scène la plus fréquente de la pièce est sans aucun doute : « *Un temps* ». La force ne peut en être pleinement perçue qu'à la représentation, où la fréquence des pauses met d'autant plus en relief les dialogues, dont chaque singularité se dégage alors avec efficacité.

Pour être précis, si l'on veut discuter du style de Beckett, on devrait ajouter des commentaires sur la gestuelle, sur les déplacements des personnages : ce sera l'objet du développement suivant. Mais à se limiter même à la langue, on constate sans peine que Beckett renouvelle le langage théâtral dans le choix des termes et dans le rythme : ce n'est peut-être pas la moindre des raisons qui ont fait le succès de la pièce.

5 – DRAMATURGIE

■ La pauvreté du cadre

À partir des années 1960, Samuel Beckett a consacré une partie de son temps à la mise en scène. Il s'était à vrai dire intéressé de très près à la première mise en scène d'*En attendant Godot*. Mais il n'avait alors donné, pour l'essentiel, que des instructions orales à Roger Blin. En 1975, en revanche, il assuma lui-même la mise en scène de cette pièce (et d'autres) au Schiller-Theater de Berlin. Les notes qu'il a prises au cours du travail préparatoire ont été conservées, et publiées (en anglais seulement, malheureusement). Elles nous donnent des indications passionnantes quant aux conceptions qu'avait l'auteur de son œuvre et de la manière dont il voulait qu'elle fût présentée au public.

Observons d'abord que, contrairement à la plupart de ses pièces plus tardives, où la prolifération des indications scéniques peut rendre la lecture difficile, *En attendant Godot* en comporte relativement peu. Cela est sans doute à mettre en relation avec le fait qu'il s'agissait de sa première expérience, et que ses conceptions, au moment de la rédaction de la pièce, étaient sans doute fixées dans son esprit, mais sans qu'il songe à en transcrire le détail sur le manuscrit, pensant qu'il serait temps de s'en occuper si par hasard la pièce venait à être effectivement produite.

Le décor, nous l'avons déjà signalé, est très sommairement décrit : « *Route à la campagne, avec arbre* », puis (au deuxième acte) « *Même endroit* », avec seulement la mention supplémentaire : « *L'arbre porte quelques feuilles* ». Le seul élément incontournable est donc l'arbre, à tel point que, en 1952, une occasion s'étant présentée de monter la pièce, mais dans une salle dont la scène était si petite qu'on n'aurait pu y faire tenir un arbre, Beckett déclina l'offre. De fait, le texte y fait à diverses reprises référence, et les motifs du passage du temps (exprimé par la pousse des feuilles) et de la pendaison sont trop importants pour qu'on puisse y renoncer.

Rien ne s'oppose donc, en théorie, à une mise en scène « réaliste » d'*En attendant Godot* ; néanmoins, le manque de moyens étant le moteur initial de ce choix, l'auteur de la première mise en scène, Roger Blin, opta pour un décor plus que stylisé, et la tradition s'est maintenue d'un plateau vide, sans décors et sans accessoires autres que ceux qui sont explicitement demandés.

De même, les costumes ne sont pas décrits dans les indications scéniques initiales, même si un détail est précisé dans une note ajoutée après coup : « *Tous ces personnages portent le chapeau melon* ». Le texte nous indique en revanche que Vladimir et Estragon portent des guenilles, alors que Pozzo est assez confortablement vêtu. Les metteurs en scène successifs ont pris davantage de libertés sur ce point que sur celui des décors, mais la base est demeurée inchangée.

Quant à l'apparence physique des personnages, si ce n'est les longs cheveux blancs de Lucky, nous n'avons pas non plus d'informations précises, même si le bon sens fait préférer deux vagabonds plutôt maigres et un Pozzo plus enrobé.

En attendant Godot est donc une pièce dont le cadre général est pauvre, voire dénudé, pour deux raisons : d'abord parce que le texte donne peu d'indications, ce qui doit inciter à la réserve, ensuite parce que la tradition a toujours traité la pièce de manière plutôt minimaliste.

■ La richesse du détail

Malgré (ou peut-être à cause de) cette grande économie de moyens dans le décor et les costumes, tout le reste de la mise en scène demande à être traité de manière particulièrement soigneuse.

Plus tard dans sa carrière, Beckett confiera que pour lui, le meilleur acteur est celui qui se prête à n'être qu'un instrument, que les conceptions des metteurs en scène sont le plus souvent superflues, voire erronées, et que le texte de théâtre devrait à la limite se suffire à lui-même. Des pièces ultérieures tendront à réaliser ces idées, où la présence de l'acteur (de l'actrice, en l'occurrence) sera gommée au point qu'on ne verra que sa bouche éclairée par un projecteur. De même, plus aucun détail matériel ne sera laissé au hasard dans d'autres pièces : intensité de la lumière graduée sur une échelle de 1 à 10, nombre de pas à effectuer sur la scène, tout cela souvent illustré de schémas précis.

S'il est resté relativement en retrait face à Roger Blin lors de la première production scénique de sa pièce, Beckett s'est en revanche intéressé de près à toutes les mises en scène d'*En attendant Godot*, jusqu'à accepter finalement de diriger lui-même des représentations. Dans les témoignages des spectateurs de ces représentations, et dans les cahiers de notes de Beckett, tenus durant les répétitions, on constate le soin extrême qu'il a pris à rectifier ici un mot ou une tournure, là un mouvement, ailleurs un éclairage (sans pour autant juger utile de modifier le texte imprimé, inchangé depuis sa toute première réédition contemporaine de la mise en scène de Blin). Cette attention pointilleuse aux détails n'était au demeurant nullement dictatoriale : Beckett indiquait qu'à partir du moment où un certain nombre de données de base étaient respectées, des mises en scène autres produiraient simplement une « musique » (le terme est intéressant) différente de la sienne. Il s'opposa toutefois à certaines tentatives qu'il jugea contraires à l'esprit de son œuvre : c'est ainsi qu'il refusa une adaptation où tous les personnages étaient remplacés par des femmes. Misogynie de l'écrivain ? Non, mais plutôt refus du n'importe quoi qui sert de pensée prétendument audacieuse à trop de représentants autoproclamés de la « modernité ».

3
THÈMES

1 – QUI EST GODOT ?

■ Les hypothèses « factuelles »

La question de savoir qui ou ce que représente le fameux « Godot » que Vladimir et Estragon passent toute la pièce à attendre en vain a naturellement préoccupé les premiers spectateurs, et après eux des dizaines de critiques et d'analystes. Puisque l'on avait la chance de disposer d'un auteur encore bien vivant, on crut ne pas avoir à en être réduit aux supputations, et naturellement Beckett s'entendit demander à maintes reprises ce qu'il fallait comprendre dans l'énigme que posaient Godot et son absence. Mais jamais l'écrivain ne daigna ou ne voulut donner de réponse qui apparût suffisamment sérieuse.

Il prit même un malin plaisir à récuser tout particulièrement les interprétations métaphysiques et philosophiques. Il déclara explicitement : « Si je savais qui est Godot, je l'aurais dit dans la pièce. » Il ajoutait, avec sans doute un sourire en coin : « J'ai voulu dire ce que j'ai dit. » Voilà le lecteur ou le spectateur curieux bien éclairés…

Il reste à se fier aux rumeurs plus ou moins bien étayées qui ont circulé dès les années 1950 concernant l'identité possible de Godot. Le metteur en scène de la toute première version, Roger Blin, s'étant tout naturellement enquis auprès de l'auteur de la vraie nature de ce Godot, Beckett lui répondit que le nom lui était venu par analogie de sonorités avec les termes français argotiques de « godillot » ou de « godasse », désignant des chaussures. Cette explication est loin d'être illogique, si l'on considère l'importance que revêtent les chaussures dans *En attendant Godot*, surtout pour Estragon : sa toute première réplique concerne ses souliers impossibles à retirer (« Rien à faire »), la paire de chaussures qu'il a finalement pu ôter (ou est-ce une autre ?…) sert de signe d'identification du décor au début du deuxième acte, et il y a une sorte de corrélation entre les chaussures d'Estragon et le chapeau de Vladimir (l'un, plus fruste, se préoccupe des problèmes de la marche, tandis que l'autre, un tantinet intellectuel, en quelque sorte « travaille du chapeau »).

Si toutefois cette explication peut apparaître satisfaisante au niveau onomastique (concernant le nom du personnage), elle n'apporte à peu près aucun éclaircissement quant à son identité ou sa fonction dramatique. Elle est donc, en tout état de cause, et sans aucun doute sciemment de la part de Beckett, insuffisante.

Une deuxième explication, plus ludique encore, ne s'accorde pas mal avec le sens de l'humour de Beckett : on dit que, ayant vu un attroupement lors d'une étape d'un Tour de France cycliste alors que le peloton semblait être passé et l'étape en voie de se terminer, Beckett aurait demandé aux spectateurs ce qu'ils faisaient encore là, et ils auraient déclaré qu'ils « attendaient Godot », le coureur le plus âgé, alors « lanterne rouge » de l'épreuve. Le goût de Beckett pour la bicyclette, qui sert parfois d'utile substitut à la marche pour certains de ses personnages (comme dans le roman *Molloy*, à peu près contemporain de la pièce), rend cette histoire plausible, et il faudrait une recherche approfondie dans les archives du journal *L'Équipe* pour peut-être pouvoir vérifier l'authenticité de l'anecdote, qui est en tout état de cause suffisamment amusante pour mériter d'être mentionnée.

Une troisième interprétation, encore mieux accordée à l'humour parfois scabreux de l'Irlandais, peut être signalée, d'autant que, dit sa biographe Deirdre Bair, celle-ci circulait beaucoup parmi ses amis proches. Attendant un bus au coin de la rue Godot de Mauroy, dans le neuvième arrondissement de Paris, rue renommée pour les nombreuses prostituées qui arpentent ses trottoirs, Beckett se serait vu abordé par une de ces femmes, pour les raisons marchandes que l'on devine, et, ayant décliné l'offre, se serait entendu demander par la dame mécontente ou ironique s'il « attendait Godot ». Étant donné l'absence complète non seulement de femmes, mais même de référence à tout personnage féminin dans la pièce (à la peu notable exception de la mère d'une « famille Gozzo », qui « brodait au tambour », détail modérément significatif mentionné par Vladimir lorsque Pozzo se présente), cette origine possible du nom de Godot ne manquerait assurément pas de sel. Nous n'avons malheureusement aucun moyen de la vérifier.

■ Les hypothèses « intellectuelles »

Les érudits, face à ce manque de bonne volonté de la part de Beckett, eurent recours à leurs connaissances et à leur ingéniosité pour tenter de dénicher une origine probable à « Godot ».

On s'avisa qu'Honoré de Balzac, à l'inverse de Beckett, tout en étant resté dans l'histoire littéraire pour sa considérable œuvre romanesque, avait rêvé (comme la majorité des écrivains du dix-neuvième siècle) de devenir célèbre grâce au théâtre – ce en quoi il avait largement échoué. Dans sa pièce *Le Faiseur* (qui a du reste connu depuis un certain regain de popularité), il y a un dénommé « Godeau », que les personnages attendent car lui seul serait en mesure de les sauver de la banqueroute. Beckett, informé de cette coïncidence, affirma qu'il n'avait lu *Le Faiseur* qu'après avoir écrit sa propre pièce. En tout état de cause, le lien entre les deux œuvres, à supposer qu'il existe autrement que par coïncidence, serait extrêmement mince, ne reposant que sur cette analogie.

On en vint donc, et de manière assez naturelle au vu de la pièce, à des hypothèses plus métaphysiques. Godot ne pouvait-il, par l'intermédiaire d'un petit jeu de mots franco-anglais, renvoyer à Dieu (c'est-à-dire « God » en anglais) ? Le fait que Beckett, bilingue, se tienne parfois à cheval sur les deux langues, voire sur davantage, ne peut surprendre (la présence dans le discours de Lucky, comme on le verra plus loin, de duos de savants comme « Poinçon et Wattman », « Fartov et Belcher » ou « Steinweg et Petermann » l'indique suffisamment). De plus, Beckett est réputé avoir insisté, lors de productions en langue anglaise de sa pièce, pour que le nom de « Godot » soit prononcé avec l'accent porté sur la première syllabe (« **God**ot », donc), alors que l'allure française du mot aurait plus naturellement incité les acteurs à accentuer la dernière syllabe, comme cela se fait toujours en français (« Go**dot** »). La divinité supposée de Godot se verrait par là renforcée – mais peut-être s'agit-il simplement, hors d'un contexte francophone, d'« angliciser » légèrement l'aspect général du texte pour un public anglophone.

Il reste que plusieurs détails du texte pointent plus ou moins nettement dans cette direction. D'abord Godot (qui, dans une première version du texte, faisait remettre des lettres à Vladimir et Estragon) ne se manifeste plus dans la version définitive que par sa parole, transmise par le jeune garçon, qui fait, il est vrai, un bien piètre prophète.

Lors de la seconde intervention du jeune messager, à la fin du deuxième acte, Vladimir s'enquiert de l'aspect physique de Godot ; il demande d'abord s'il a une barbe (la réponse est oui), puis demande : « Blonde ou … (*il hésite*) … ou noire ? », et la réponse du garçon, hésitant lui aussi, est : « Je crois qu'elle est blanche, monsieur », information à laquelle Vladimir réagit, après un silence, par un seul mot : « Miséricorde » (terme aux fortes connotations chrétiennes).

L'hésitation de Vladimir (on peut supposer qu'il demande si la barbe est blonde ou noire en élidant volontairement la possibilité, qui pourtant lui est venue à l'esprit, qu'elle soit blanche), de même que sa réaction à la réponse du garçon, se comprend mieux par rapport à l'iconographie chrétienne, qui a très souvent représenté Dieu comme un vieillard imposant à barbe blanche, et par rapport à un détail au début du monologue de Lucky au premier acte : « Étant donné l'existence […] d'un Dieu personnel quaquaquaqua à barbe blanche ».

La possible signification « théologique » de Godot se voit également étayée par l'omniprésence de l'imagerie religieuse dans la pièce, que nous étudierons plus loin de manière plus approfondie. Remarquons tout de même ici que l'espoir que Vladimir et Estragon placent dans la venue de Godot fait écho à la discussion longuement filée du premier acte, relative aux diverses versions des « deux larrons » crucifiés en même temps que le Christ, et dont généralement on ne retient de fait (comme l'observe Vladimir) que la plus optimiste, celle où Jésus promet à celui des deux qui place sa confiance en lui qu'il se retrouvera à ses côtés au royaume des cieux.

Mais à supposer que Godot figure de quelque manière Dieu, comment interpréter son absence persistante – malgré, selon toute apparence (les deux apparitions du jeune garçon), son existence avérée ?

Le thème de l'absence ou de la mort de Dieu est l'un des plus rabâchés de la modernité à partir de l'époque des Lumières, et davantage du dix-neuvième siècle. Et cette absence est d'autant plus durement ressentie que notre civilisation européenne, que l'on dit avec justesse judéo-chrétienne, s'est pour une large part construite sur les réflexions et les idéaux du christianisme. Dès lors, la pensée d'un monde sans Dieu ne peut se faire que douloureusement, non dans la liberté assumée d'un homme maître de son destin (idéal de l'existentialisme, par exemple), mais dans le regret du temps où la vie s'organisait autour de la notion de divinité, et où le monde d'ici-bas n'était que le prélude à un au-delà espéré ou redouté.

Une réplique de *Fin de partie*, la pièce suivante de Beckett, rendrait parfaitement compte de cet état d'esprit : après une tentative de prière, parlant de Dieu, l'un des personnages s'exclame : « Le salaud ! Il n'existe pas ! » De même Godot exprime peut-être le

« je sais bien, mais quand même » de celui qui ne peut plus avoir la foi, mais ne peut non plus se résigner à y renoncer tout à fait. La remarque vaudrait pour les personnages, non pour Beckett, qu'on ne peut soupçonner de nostalgie religieuse. En revanche, la religion qu'il a pratiquée dans son enfance pourrait, souterrainement, dénoter un désir de retour vers cette enfance précisément, vers l'insouciance que l'on associe souvent à cette période de la vie et à la relation privilégiée entre mère et enfant.

Ne nous hasardons pas plus avant dans ce qui serait de la fort médiocre psychanalyse, mais qui a toutefois l'avantage d'offrir à notre perplexité une voie d'accès vers quelque chose qui fasse sens.

■ Une hypothèse dramatique

Peut-être n'y a-t-il finalement pas de sens à chercher à savoir qui est Godot : ne court-on pas le risque, ce faisant, de s'enfermer dans le même type de cercle vicieux que les deux personnages de la pièce ? En revanche, on peut déterminer avec davantage de certitudes la fonction dramatique de Godot dans la pièce, l'important étant dès lors de savoir non qui il est, mais à quoi il sert.

Nous avons signalé plus haut que Godot, dans la structure de la pièce, ne présente d'intérêt, précisément, que parce qu'il est absent : sa venue compromettrait tout l'équilibre dramatique qui s'instaure au gré des dialogues et des rencontres. Rappelons le parallèle esquissé avec *Bajazet* de Racine : dans cette tragédie, le sultan Amurat n'est efficace, d'un point de vue dramatique, que parce qu'il n'est pas dans son palais, et qu'on y attend son retour annoncé. S'il intervenait effectivement, il n'y aurait plus de pièce possible, dans le contexte théâtral du dix-septième siècle, car son arrivée coïncidera sans doute avec une vague de répression et d'assassinats qui, selon les conventions alors en vigueur, ne peut faire l'objet d'un spectacle théâtral. En revanche, tant qu'il est seulement annoncé, l'action peut suivre son cours (catastrophique au demeurant, mais où les morts ne s'égrènent que lentement, non dans le cadre du massacre possible que l'on pressent pour plus tard).

De même, dans *En attendant Godot*, à supposer que Godot arrive, et non son messager, que se passerait-il ? Rien de plus très probablement, si ce n'est qu'on n'aurait plus de motif d'être là à l'attendre, et donc que la pièce serait instantanément finie. Observons en effet ce que se disent Vladimir et Estragon à son sujet (surtout Vladimir d'ailleurs, Estragon ayant peu d'opinions sur la question). Rien de précis en fait. Ils attendent éventuellement d'être « sauvés », mais le terme semble pour eux une coquille vide, ils seraient bien en peine de dire ce que cela peut signifier pour eux spécifiquement, au-delà du vague rabâchage d'un vieux catéchisme scolaire.

Ils sont pleins d'hypothèses quant aux raisons pour lesquelles Godot ne vient pas : il doit « réfléchir », « à tête reposée », « consulter sa famille », « ses amis », « ses agents », « ses correspondants », « ses registres », « son compte en banque », « avant de se prononcer ». Notons d'ailleurs que le passage où a lieu cet échange implique clairement que Godot n'est pas qu'une vue de l'esprit, puisque les deux compères rappellent nettement qu'ils l'ont déjà vu, et ne lui ont à cette occasion « rien demandé de bien précis » : seulement « une sorte de prière », « une vague supplique ». Comment s'étonner alors que Godot n'ait rien eu à répondre de bien précis non plus, et qu'il tarde à reparaître ? Le moins que l'on puisse dire est que Vladimir et Estragon demeurent très évasifs quant aux motifs qui les poussent vraiment à l'attendre, sauf lorsque Vladimir, prouvant ainsi qu'il a sans doute déjà rencontré le jeune garçon qui lui a raconté sa vie chez Godot, dit : « Ce soir, on couchera peut-être chez lui, au chaud, au sec, le ventre plein, sur la paille. Ça vaut la peine qu'on attende. » Mais au-delà de cette demande extrêmement « matérialiste », qui n'a apparemment pas été exprimée directement, et qui ne nécessite au demeurant pas forcément l'intervention de Godot, il n'y a à peu près rien qui rattache vraiment les deux vagabonds à Godot ; certes, ils ont, disent-ils, « bazardé » leurs « droits » (comme Esaü dans la Bible), mais pourtant ils ne sont « pas liés ».

Dans le même ordre d'idées, observons que, lorsque le garçon vient, à deux reprises, annoncer à Vladimir que Godot ne viendra pas ce jour-là, le vagabond ne trouve aucun message significatif à lui faire transmettre, si ce n'est que le jeune garçon l'a bien vu, ce qui est absolument l'information minimale dont il puisse le charger. Au deuxième acte, il réfléchit certes plus longuement à ce qu'il pourrait ajouter, mais sans effet : « Tu lui diras – (il s'interrompt) – tu lui diras que tu m'as vu et que – (il réfléchit) – que tu m'as vu ». Que pourrait dès lors apporter la venue de Godot, si ce n'est le constat de la vacuité parfaite de cette attente ?

Godot est donc comme Amurat dans *Bajazet*, à cette nuance près que chez Racine la croyance en un sens des choses persiste, et que par conséquent ce sont des actions qui s'ordonnent autour de la venue annoncée du sultan, tandis que chez Beckett le sens s'est évanoui, et l'attente de Godot n'est prétexte qu'à un total renoncement à être, pourrait-on dire. Un Godot absent ne sert-il pas mieux le malaise de vivre de Vladimir et Estragon qu'un Godot présent ?

2 – LES MOTIFS RELIGIEUX

■ Un leitmotiv

L'onomastique

Sans chercher dans un premier temps à en interpréter la signification, on ne peut que constater que *En attendant Godot* ne cesse de présenter au lecteur ou au spectateur des motifs tirés de la tradition chrétienne, qui devient même par moments objet de débat entre les personnages. Nous pouvons tenter un relevé des types d'occurrences des motifs religieux dans la pièce.

Si nous considérons par exemple l'utilisation des noms propres (c'est l'objet même de cette discipline spécifique de la critique littéraire qu'est l'onomastique), nous constatons que, si un certain nombre de noms n'offrent pas d'associations particulières, d'autres en revanche, soit appartenant à des personnages, soit employés par eux, renvoient, parfois de manière évidente, ailleurs de manière incertaine et détournée, à des significations qui ont à voir avec la religion.

Ne revenons que pour mémoire sur le nom même de « Godot », et constatons, sans vouloir décider de la véracité de telle ou telle hypothèse, que si l'étymologie par le « godillot » évoquée par Beckett est plausible, il est peu vraisemblable que lui ait échappé, à supposer même qu'elle n'ait pas été intentionnelle, la présence de « God », donc « Dieu » en anglais, à l'intérieur de « Godot ». La pièce nous invite même explicitement à jouer autour des consonances du nom de Godot (et donc à y découvrir, probablement, « God ») : ainsi lorsque Pozzo entre en scène et se présente, Vladimir et Estragon ont toutes les peines du monde à entendre qu'il ne s'agit pas de Godot, d'autant que Vladimir dit

avoir connu jadis « une famille Gozzo » (dont la sono-
rité est intermédiaire entre « Godot » et « Pozzo »).

De même, lorsque Pozzo tente d'amorcer la conversation avec les deux vagabonds, il feint un instant de ne
plus se rappeler le nom de celui qu'ils attendent et de
chercher à le retrouver, et ce n'est sans doute pas par
hasard qu'il ne se souvient à chaque fois que de la première syllabe du nom : d'abord « que devient en ce cas
votre rendez-vous avec ce… Godet… Godot…
Godin… », puis « si j'avais rendez-vous avec un
Godin… Godet… Godot… » ; il ne laisse ainsi subsister, comme élément invariant, que le « God » qui finira
bien par évoquer quelque chose à l'auditeur le plus
obtus.

Enfin, pour compléter l'ambiguïté, lorsque Pozzo
fait connaissance avec Vladimir et Estragon, il s'exclame : « Vous êtes bien des être humains cependant.
(*Il met ses lunettes.*) À ce que je vois. (*Il enlève ses
lunettes.*) De la même espèce que moi. (*Il éclate d'un
rire énorme.*) De la même espèce que Pozzo !
D'origine divine ! » L'allusion biblique, renvoyant évidemment à l'idée selon laquelle Dieu « créa l'homme à
son image », renforce le réseau de connotations autour
de l'idée de divinité cernant tout ce qui concerne
Godot.

On peut également observer un détail qui pourrait
plus facilement passer inaperçu : au premier acte, si
Pozzo et Lucky viennent à passer par là, c'est parce que
le premier veut se débarrasser du second, qu'il accable
de reproches, en allant le vendre « au marché de Saint-
Sauveur ». Le nom de la bourgade semble conforme à
la toponymie française : il existe de fait des dizaines de
« Saint-Sauveur » en France. Toutefois, étant donné la
thématique de la pièce, le choix de ce nom ne saurait
être innocent.

On peut en faire plusieurs lectures, à la lumière en particulier de la controverse théologique qui oppose Vladimir et Estragon au début de la pièce (et que nous évoquerons plus longuement ci-dessous). Le Sauveur, ce ne peut être nul autre que le Christ. Il est encore plus aisé de s'en convaincre si l'on se souvient qu'au début, lorsque Vladimir s'interroge sur l'histoire des deux larrons crucifiés avec le Christ et ses différentes versions, il ne mentionne pas le nom de Jésus, mais dit : « le Sauveur », à trois reprises (dont une pour répéter le terme à Estragon qui semble ne pas l'avoir compris). On peut songer au sermon dans lequel Jésus dit que sont « bienheureux » (entre autres) « les pauvres » et « les faibles en esprit » (et Lucky, dans son parfait dépouillement et dans la cohérence très limitée des propos qu'il va bientôt tenir, semble parfaitement entrer dans chacune de ces deux catégories). On peut également songer à l'épisode où un homme vient voir Jésus pour lui demander de guérir son serviteur, malade, et ajoute : « Je ne suis pas digne de te recevoir, mais dis seulement une parole et mon serviteur sera guéri ». Dans l'un et l'autre cas, l'allusion à « Saint-Sauveur » pointerait vers une sorte de statut privilégié, voire de sanctification, de Lucky, qui, loin de se voir rabaissé par l'acte odieux de Pozzo, y trouvera la récompense de son humilité.

Cette hypothèse pourrait être renforcée par le nom même de Lucky (le seul, à part « Godot » évidemment, qui semble contenir un sens – à peine – caché) : l'adjectif anglais « lucky » signifie, rappelons-le, « chanceux », « heureux ». Ce fait serait en concordance avec la tradition biblique qui donne à certains personnages de l'histoire sainte un nom « signifiant » (à commencer par le nom d'Adam, qu'André Chouraqui paraphrase en « le glébeux » car ce nom évoque la terre dont il est tiré). Il est vrai qu'on est aussi en adéquation avec l'habitude de Beckett de donner à ses créatures des noms plus ou moins ouvertement évocateurs, comme le couple Hamm (« hammer », « marteau ») et Clov (« clou ») dans *Fin de partie* ou le couple ironiquement nommé, dans *Oh les beaux jours*, Winnie (alors que la femme dont il s'agit, loin de « gagner » – « to win » – semble bien avoir tout perdu) et Willie (alors que l'homme, quasi inerte, est loin de la volonté – « will » – que suggérerait ce nom).

On ne peut bien sûr prétendre là qu'être au mieux conjectural, comme dans la plupart des remarques que présente cette partie de l'étude. La conjecture n'est néanmoins pas forcément vaine, dans la mesure où les éléments que nous évoquons étaient en tout état de cause connus de Beckett.

Les autres allusions

Outre les références par le biais de noms de personnages, de lieux, ou l'utilisation de noms bibliques, on observe aussi dans *En attendant Godot* une profusion d'allusions à la religion chrétienne non dissimulées, et même mises souvent très en valeur.

Bien sûr, la discussion sur l'épisode de la crucifixion joue un rôle important dans les significations que construit la pièce. Rappelons-en le déroulement :

> « VLADIMIR : C'étaient deux voleurs, crucifiés en même temps que le Sauveur. On...
>
> ESTRAGON : Le quoi ?
>
> VLADIMIR : Le Sauveur. Deux voleurs. On dit que l'un fut sauvé et l'autre... (*il cherche le contraire de sauvé*)... damné.
>
> ESTRAGON : Sauvé de quoi ?
>
> VLADIMIR : De l'enfer.

ESTRAGON : Je m'en vais. (*Il ne bouge pas.*)

VLADIMIR : Et cependant... (*Un temps.*) Comment se fait-il que... Je ne t'ennuie pas, j'espère ?

ESTRAGON : Je n'écoute pas.

VLADIMIR : Comment se fait-il que des quatre évangélistes un seul présente les faits de cette façon ? Ils étaient cependant là tous les quatre – enfin, pas loin. Et un seul parle d'un larron de sauvé. (*Un temps.*) Voyons, Gogo, il faut me renvoyer la balle de temps en temps.

ESTRAGON : J'écoute.

VLADIMIR : Un sur quatre. Des trois autres, deux n'en parlent pas du tout et le troisième dit qu'ils l'ont engueulé tous les deux.

ESTRAGON : Qui ?

VLADIMIR : Comment ?

ESTRAGON : Je ne comprends rien. (*Un temps.*) Engueulé qui ?

VLADIMIR : Le Sauveur.

ESTRAGON : Pourquoi ?

VLADIMIR : Parce qu'il n'a pas voulu les sauver.

ESTRAGON : De l'enfer ?

VLADIMIR : Mais non, voyons ! De la mort.

ESTRAGON : Et alors ?

VLADIMIR : Alors ils ont dû être damnés tous les deux.

ESTRAGON : Et après ?

VLADIMIR : Mais l'autre dit qu'il y en a eu un de sauvé.

ESTRAGON : Eh bien ? Ils ne sont pas d'accord, un point c'est tout.

VLADIMIR : Ils étaient là tous les quatre. Et un seul parle d'un larron de sauvé. Pourquoi le croire plutôt que les autres ?

ESTRAGON : Qui le croit ?

VLADIMIR : Mais tout le monde. On ne connaît que cette version-là.

ESTRAGON : Les gens sont des cons. »

Beckett révèle clairement ici sa connaissance de la Bible, qui est loin d'être superficielle. De fait, parmi les quatre évangélistes, Marc et Jean ne mentionnent pas l'épisode des larrons, Mathieu se contente d'indiquer qu'ils ont tous deux injurié le Christ, et seul Luc fait la différence entre le « bon » larron, à qui Dieu promet le salut, et le mauvais, qui l'injurie.

Cette longue insistance sur la crucifixion nous autorise peut-être à considérer comme significatif également le choix du jour où Vladimir et Estragon situent leur rendez-vous avec Godot.

« ESTRAGON : Tu es sûr que c'était ce soir ?

VLADIMIR : Quoi ?

ESTRAGON : Qu'il fallait attendre ?

VLADIMIR : Il a dit samedi. (*Un temps.*) Il me semble.

ESTRAGON : Après le turbin.

VLADIMIR : J'ai dû le noter. (*Il fouille dans ses poches, archibondées de saletés de toutes sortes.*)

ESTRAGON : Mais quel samedi ? Et sommes-nous samedi ? Ne serait-on pas plutôt dimanche ? Ou lundi ? Ou vendredi ?

VLADIMIR (*regardant avec affolement autour de lui, comme si la date était inscrite dans le paysage*) : Ce n'est pas possible.

ESTRAGON : Ou jeudi. »

L'ordre dans lequel sont évoqués les jours n'est peut-être pas purement aléatoire. En effet, on part d'un rendez-vous fixé le samedi. Le samedi, avant que le dimanche ne le supplante, c'est le jour du sabbat, le jour consacré à Dieu, dans la tradition judéo-chrétienne : quel meilleur jour pourrait-on trouver pour un rendez-vous avec Godot ? Mais le doute gagne, et les différents jours de la semaine vont être égrenés, pas complètement dans l'ordre, et chacun ayant une éventuelle signification pour qui connaît les évangiles.

Le dimanche, c'est Pâques, le jour de la résurrection, et le jour qui a, dans le christianisme, remplacé le samedi comme jour consacré au Seigneur. Le lundi peut de même être le lundi de Pâques, ou celui de la Pentecôte, toutes célébrations d'un Dieu glorieux et sauveur. Mais soudain, marche arrière : vendredi peut-être. Or le vendredi, c'est le jour où Jésus meurt sur la croix. Voilà moins de raisons d'espérer... Quant au jeudi qui est évoqué en dernier, il est associé dans le calendrier chrétien à l'Ascension, qui est élévation du Christ vers le ciel, donc occasion de réjouissance, mais peut aussi bien être interprétée comme le second départ du Christ, laissant les hommes seuls avec eux-mêmes, sans le secours tangible de la présence divine.

Voilà qui pourrait se voir qualifié de délire interprétatif, si ce n'est d'une part que les cinq jours cités par Estragon sont tous ceux qui sont associés traditionnellement à la crucifixion et à ses suites (alors que le mardi ou le mercredi, non cités, n'éveilleraient, eux, aucun écho particulier), d'autre part que ces points de repère semblent avoir joué un certain rôle pour Beckett, qui affirmait être né le Vendredi saint 13 avril 1906, alors que les registres d'état civil portent la date du 13 mai 1906. Comme l'indique sa biographe Deirdre Bair, Beckett « mentionne cette date, vraie ou fausse, avec une méfiance soigneusement feinte envers les universitaires et les critiques. »

On peut encore rappeler deux passages où la Bible est utilisée, à des fins certes parodiques, mais peut-être pas uniquement. Vers la fin du premier acte, Vladimir dit à Estragon : « Mais tu ne peux pas aller pieds nus. », ce qui provoque l'échange suivant : « – Jésus l'a fait. – Jésus ! Qu'est-ce que tu vas chercher là ! Tu ne vas tout de même pas te comparer à lui ? – Toute ma vie je me suis comparé à lui. – Mais là-bas il faisait chaud ! Il faisait bon ! – Oui. Et on crucifiait vite. »

Le fait, dont Vladimir ne sera pas le seul à être étonné, qu'Estragon se soit toute sa vie comparé à Jésus, peut en effet surprendre de la part d'un homme qui (Vladimir l'a rappelé bien avant) n'est guère allé qu'à « l'école sans Dieu » (comprenons l'école laïque : la querelle école publique et laïque contre école privée et confessionnelle ne date pas d'hier). Cela surprendra encore plus si l'on se rappelle que, des deux compères, Estragon est le moins cultivé, et apparemment le moins intelligent. Faut-il y voir, une fois encore, une secrète allusion à la félicité promise aux « simples » par les Évangiles ?

Autre allusion ouvertement biblique : lorsque Pozzo et Lucky reparaissent, au deuxième acte, et s'effondrent pour se voir dans l'impossibilité de se relever par leurs propres moyens, Estragon (encore lui), bien qu'il soit déjà établi que les deux arrivants sont bien Pozzo et Lucky, a l'idée de les interpeller avec d'autres noms. Il commence par : « Abel ! Abel ! », à quoi Pozzo (à terre) répond : « À moi ! » Estragon commente : « Peut-être que l'autre s'appelle Caïn », et met immédiatement son hypothèse à l'essai : « Caïn ! Caïn ! », à quoi c'est le même Pozzo qui répond encore : « À moi ! », entraînant de la part d'Estragon le commentaire : « C'est toute l'humanité. »

Ce bref passage semble contenir une sorte de parabole express, farcesque certes, mais pas seulement. Observons d'abord que, comme à la fin du premier acte, c'est Estragon qui, à notre surprise, se révèle plus compétent en histoire sainte que son compagnon. Par ailleurs, le motif d'Abel et Caïn peut être porteur de signification. Rappelons que, dans la Genèse, ce sont les deux premiers nés d'Adam et Ève ; Caïn cultive le sol, tandis qu'Abel élève du bétail. Tous deux font à Dieu une offrande, mais Dieu marque une préférence pour le fumet de la viande d'Abel ; Caïn en conçoit plus que du dépit, au point qu'il entraîne Abel dans les champs et le tue ; il a beau ensuite feindre l'innocence lorsque Dieu lui demande où est Abel (« Suis-je le gardien de mon frère ? », demande-t-il ingénument), Dieu le chasse tout de même, tout en lui apposant une marque afin que nul ne lui fasse de mal.

Cet épisode, un des premiers de la Bible, est aussi un des plus riches d'interprétations. Retenons en l'occurrence l'idée que, à l'opposé du manichéisme, qui pourrait nous amener à penser que Pozzo est le bourreau, le méchant, et Lucky la victime, le bon, ou qui inversement conduit Pozzo à se présenter en victime de Lucky, à en croire ce que suggère Estragon, en chaque homme (singulièrement, ici, en Pozzo), cohabiteraient Abel et Caïn, le bien et le mal, le bien-aimé et le réprouvé.

N'omettons pas enfin de mentionner la nature ouvertement théologique d'une part non négligeable du « discours » de Lucky, que nous analyserons plus en détail dans la prochaine grande section de cette étude thématique.

■ Questionnement ou dérision ?

Influences irlandaises ?

Même compte tenu du souci parfois excessif que peut avoir le commentateur d'illustrer abondamment son propos, on admettra probablement sans difficulté la remarquable abondance des matériaux qui se présentent lorsqu'on veut s'intéresser aux motifs religieux dans *En attendant Godot*.

Il faut en effet tenir compte de divers facteurs susceptibles d'avoir influencé les choix intellectuels et esthétiques de Samuel Beckett, tels que nous avons pu les apercevoir dans la section consacrée à sa biographie.

Beckett est originaire d'Irlande, pays remarquable (encore aujourd'hui) par la vivacité des sentiments religieux qui y persistent dans notre siècle laïque. Au-delà de l'exploitation du sentiment religieux par les causes politiques qui ont conduit aux affrontements qui ensanglantent l'Ulster (la partie de l'Irlande qui est restée attachée à la couronne britannique après l'indépendance de l'Eire, ou République d'Irlande, en 1921), l'Irlande est, de tous les pays de l'Union européenne, celui qui a, du fait de sa tradition catholique très enracinée, la législation la plus restrictive en ce qui concerne le divorce et l'avortement. Par ailleurs, il faut être conscient de ce que la religion catholique a été et demeure un élément de rassemblement et d'opposition aux « occupants » britanniques, très majoritairement protestants. Quant à Beckett, nous avons signalé que, dans ce pays fortement catholique, sa famille était de confession protestante, sans que cela pose pour autant de vrai problème, à une époque et dans une région où les conflits étaient moins tragiques qu'ils ne le sont devenus par la suite.

Il est toutefois notoire que les traditions les plus vives sont aussi les plus pesantes, et celles qui provoquent les rébellions ou les détournements les plus audacieux. Il est significatif que, parmi les nombreux grands écrivains irlandais (ou du moins d'origine irlandaise), on compte nombre d'auteurs qui ont fait scandale par leurs écrits, et parfois par leur vie. Oscar Wilde, condamné à plusieurs années d'emprisonnement pour avoir pleinement assumé sa relation homosexuelle avec le fils d'un lord anglais, était irlandais. Irlandais aussi James Joyce, dont l'œuvre dérangea tellement et fut victime d'interdictions si absolues qu'il choisit de s'exiler ; or on a vu l'influence qu'a eue Joyce sur le Beckett de vingt ans qui vint habiter Paris.

Même hors du cercle des artistes et des intellectuels, la religion en Irlande, pour suivie et révérée qu'elle est, n'est pas aussi bigote que dans des pays au niveau de pratique religieuse comparable, comme la Pologne : elle s'accompagne d'un goût marqué de la plaisanterie, qui a donné son nom à un type d'histoire drôle fondé sur le *nonsense*, sur l'absurde, et que l'on appelle l'*irish bull*, le « taureau irlandais ».

La religion sert donc de ciment social dans la mesure où la pratique religieuse est telle que nul ne peut l'ignorer. Mais au-delà d'une connaissance de la culture religieuse plus approfondie que dans la plupart des sociétés occidentales contemporaines (et comparable en revanche à ce qu'elle a pu être dans la majorité des pays d'Europe dans les siècles passés, ou récemment encore en Italie ou en Espagne), les positions individuelles varient, comme partout, de l'adhésion parfaite à la complète indifférence. Si ce n'est que l'indifférence religieuse ne peut, précisément, prendre l'aspect de l'ignorance, puisque la foi est élément constitutif du milieu social. Donc, l'indifférence devra s'exprimer, entre autres, par des prises de position plus ou moins ouvertes face à la foi chrétienne, qui pourront aller de l'agacement à la colère et de la dénonciation à la dérision.

Un thème ambivalent

Qu'en est-il dans le cas de Beckett ? S'il faut l'en croire, il a une connaissance certaine de la Bible, mais aucune adhésion religieuse. Nous n'avons aucune raison d'en douter. Mais on peut alors se demander pourquoi il a choisi de multiplier les motifs religieux dans sa pièce : il aurait pu se contenter de n'en pas parler.

L'hypothèse selon laquelle la religion a pour lui une valeur émotionnelle n'est pas à négliger. C'est sa mère qui a assuré son éducation religieuse, et le christianisme peut avoir pour lui valeur de souvenir d'enfance, de point d'ancrage sentimental, face au double déracinement volontaire qu'ont représenté son installation en France (redoublée de son choix d'écrire en français) et son renoncement au confort d'une existence « bourgeoise » pour une carrière plus qu'aléatoire d'écrivain.

Peut-être aussi la religion chrétienne, avec ses vingt siècles d'existence et le monopole qu'elle a longtemps détenu sur la vie intellectuelle européenne, lui apparaît-elle comme une voie d'accès encore incontournable aux grandes questions que peut se poser l'homme moderne sur le sens de la vie, ce qui n'implique naturellement pas qu'il adhère, ni qu'il veuille faire adhérer le spectateur ou le lecteur aux réponses que fournit la foi : la stagnation de Vladimir et Estragon le prouve suffisamment.

Mais il semble plus cohérent de supposer, si l'on admet qu'il faille malgré tout chercher à donner un sens à la pièce, que la vision religieuse du monde, telle qu'elle se laisse percevoir dans *En attendant Godot*, soit dénoncée comme un leurre, et comme un empêchement à être libre. Rappelons ce que nous avons dit plus haut de Godot : quel étrange pouvoir est le sien, qui ne s'exprime que par l'absence, et laisse indéfiniment espérer ceux qui l'attendent ?

Cela dit, il est clair également que l'on a affaire à une sorte de théologie négative, comparable à celle que l'on peut trouver chez le philosophe d'origine roumaine Cioran (dont la pensée est souvent éminemment beckettienne) : tout se joue en réalité dans l'homme, et la question de l'existence de Dieu (bien que tout porte à croire en définitive à son inexistence) est secondaire. Plus précisément, c'est de la croyance en l'existence de Dieu – ou, plus généralement, d'une quelconque transcendance – que naît une bonne part des problèmes des gens. Mais c'est de là aussi que naît leur consolation.

En effet, imaginons un Vladimir et un Estragon qui n'attendraient pas Godot, qui renonceraient finalement à l'attendre. Quelles perspectives alors d'améliorer leur sort, pourrait-on d'abord se dire ! Le « Allons-y » conclusif ne resterait pas lettre morte, cette fois, et l'indication « *Ils ne bougent pas* » cesserait d'avoir cours. Mais au fond, n'est-il pas depuis longtemps trop tard pour quoi que ce soit d'autre qu'attendre Godot ? Vladimir et Estragon sont vieux, usés, faibles, inaptes à se défendre (surtout Estragon, qui se fait rosser chaque nuit !), et incapables probablement d'entreprendre quoi que ce soit d'autre.

Leur amnésie partielle d'un jour à l'autre leur rend finalement bien service, puisqu'elle leur fait oublier une part de la succession (qu'on devine immense) des jours d'attente vaine. Et leur espoir de voir Godot les dispense du pire poison que pourrait être l'espoir d'autre chose dont l'obtention, cette fois, dépendrait d'eux entièrement, et dont tout porte à croire qu'ils ne parviendraient probablement pas à l'obtenir non plus.

Et d'ailleurs qu'espérer d'autre ? Tout de même pas le bonheur, cette chimère que toutes les créatures beckettiennes ratent magistralement ? Le départ ? Mais vers où ? Vers Saint-Sauveur où des Pozzo vendent leurs knouks au marché ? Vers un monde d'où selon toute vraisemblance ils se sont trouvés rejetés, puisque leurs rares souvenirs d'enfance ou de jeunesse (les cartes de la Terre sainte des jours d'école, les vendanges chez Bonnely près de la Durance) sont lointains, portent comme la marque d'un paradis perdu – et perdu, paradoxalement, alors qu'ils se sont mis en quête de quelqu'un qui leur assurerait... quoi, au juste ? Ils sont bien incapables de le dire :

> « VLADIMIR : Je suis curieux de savoir ce qu'il va nous dire. Ça ne nous engage à rien.
>
> ESTRAGON : Qu'est-ce qu'on lui a demandé au juste ?
>
> VLADIMIR : Tu n'étais pas là ?
>
> ESTRAGON : Je n'ai pas fait attention.
>
> VLADIMIR : Eh bien... Rien de bien précis.
>
> ESTRAGON : Une sorte de prière.
>
> VLADIMIR : Voilà.
>
> ESTRAGON : Une vague supplique.
>
> VLADIMIR : Si tu veux. »

Remarquons que les deux vagabonds semblent avoir une opinion très floue quant au fait de savoir s'ils ont ou non déjà vu Godot : ce passage semble clairement indiquer que oui, mais plus tard Vladimir demande au jeune garçon quel est l'aspect physique de Godot, ce qui est illogique s'il l'a déjà rencontré (ou alors il faut supposer une nouvelle manifestation de l'amnésie qui, pourtant, le frappe moins que son comparse).

En tout cas, s'il faut donner quelque signification sérieuse à la présence très voyante des éléments religieux dans *En attendant Godot*, nous pouvons dire que la religion est évoquée sous un jour peu favorable, servant au mieux à faire patienter les hommes, au pire à les tromper.

Un malentendu grotesque

On sera néanmoins tenté de ne pas donner tant de sérieux à la « thèse » beckettienne sur la religion. Pour Samuel Beckett en effet, il l'a souvent répété, et il n'y a pas lieu en l'occurrence de croire à une tentative supplémentaire de mystification des commentateurs, l'idée n'est rien, alors que l'expression est tout.

Nous n'entendons pas par là que Beckett soit un tenant de « l'art pour l'art ». Mais sa préoccupation n'est pas essentiellement de savoir quoi dire, elle est de dire, tout simplement. Il a évoqué la torture qu'est pour l'écrivain l'impossibilité de dire, couplée à la nécessité de dire.

Dès lors, la présence de la religion dans la pièce peut être considérée comme essentiellement une volonté de montrer la dérisoire inutilité de toute croyance en ce qui pourrait être l'amélioration (par des moyens surnaturels, qui plus est) de notre condition.

L'homme beckettien est seul avec sa conscience (non au sens moral, mais au sens « conscience d'être au monde »), et il en est tout embarrassé, souvent malheureux, en tout cas oscillant entre la contemplation horrifiée de la vie et de l'absence de signification acceptable qu'on puisse lui faire revêtir d'une part, et la tentation, ridicule et vouée à l'échec, de lui en conférer quand même une, coûte que coûte, d'autre part.

Vladimir et Estragon se trouvent à la croisée entre les deux attitudes. Ils savent bien, en leur for intérieur, que Godot ne viendra pas, et que, dût-il même venir, il ne pourrait au fond rien pour eux ; mais ils meublent le vide exaspérant ou désespérant qu'induit cette certitude par des promenades verbales et mentales incessantes autour de l'idée d'un salut, d'une amélioration au moins de leur piètre condition d'hommes.

En ce sens, la religion (la religion chrétienne en l'occurrence, puisque c'est celle qui domine dans la culture à laquelle appartient l'auteur) est la « tête de Turc » toute trouvée du nihilisme moqueur de Beckett : elle fait par excellence de l'espérance son fond de commerce, et élabore sur ce thème depuis deux millénaires et davantage. Il convient donc sans doute de ne pas prendre trop au sérieux les perspectives de salut que prétendent (au moins métaphoriquement) avoir les personnages, ni leur déception de ne jamais les voir se concrétiser.

L'éclairage jeté sur la foi est assurément plus comique que tragique. Elle est en effet, semble nous dire la pièce, surtout un bon indicateur du point auquel les gens sont disposés à « se mettre le doigt dans l'œil » pour ne pas affronter l'irrémédiable manque d'espoir de leur condition. Le passage sur la crucifixion est à cet égard révélateur : gageons que la presque totalité des gens, même de ceux qui ont assidûment suivi le catéchisme, ne connaissent que la version où l'un des deux voleurs, emblématiques à ce moment de l'humanité tout entière, s'entend promettre le salut par le Christ. Cinquante pour cent de chances, ce n'est pourtant déjà pas grand-chose… Mais affronter l'idée que ce pourrait n'être aucune chance du tout, comme l'indique le seul autre évangéliste qui mentionne l'épisode, c'est trop au-dessus de nos forces.

Estragon, le plus philosophe peut-être des deux vagabonds, malgré les apparences, a-t-il raison d'en tirer son abrupte conclusion : « Les gens sont des cons » ? Sans doute, dans l'esprit de l'auteur. Encore faut-il dire que cette formule n'implique nul mépris, plutôt une fraternelle compréhension de la difficulté d'être et des petites ou grandes stratégies vaines que chacun met en place pour s'en sortir. La religion est encore une des meilleures, finalement, puisqu'elle combine inextricablement la notion de faute et celle de rachat. Le concept de péché originel inscrit dès les premières pages de la Bible donne du grain à moudre à tout homme qui s'en laisse convaincre :

> « VLADIMIR : Un des larrons fut sauvé. (*Un temps.*) C'est un pourcentage honnête. (*Un temps.*) Gogo…
>
> ESTRAGON : Quoi ?
>
> VLADIMIR : Si on se repentait ?
>
> ESTRAGON : De quoi ?
>
> VLADIMIR : Eh bien… (*Il cherche.*) On n'aurait pas besoin d'entrer dans les détails.
>
> ESTRAGON : D'être né ? »

Étonnante et absurde doctrine (ce peut être aussi ce qui fait sa grandeur), qui proclame d'emblée la culpabilité de chaque être humain, pour mieux l'inciter à tâcher de mériter le pardon. En tout homme Abel et Caïn, l'élu et le réprouvé, et à chacun de faire ses preuves. De quoi, en tout cas, aider à passer le temps, la seule vraie dimension de l'enfer selon Beckett, comme le révèle sa saisissante expression dans *Mercier et Camier* : « la cage de La Balue des heures » (il s'agit des célèbres cages dont usait Louis XI pour ses opposants, et où l'on ne pouvait tenir ni debout, ni couché, ni assis).

Il n'y a donc, semble dire la pièce, pas lieu de croire. Mais il n'y a pas lieu non plus de combattre la foi, arme comme une autre (meilleure que d'autres peut-être) pour échapper à la conscience de notre condition. Ce que l'on peut faire, c'est en rire : à cela la pièce, tout en nous mystifiant sur le « message » qu'on espère y trouver, nous invite.

3 – LE FIN MOT ?

■ Le monologue de Lucky : un moment clé ?

Un passage de la pièce recueille généralement la plus grande part des rires, tout en soulevant les plus grandes perplexités : c'est le monologue de Lucky.

Mis à part les éléments de comique visuel proches du cirque ou du cinéma burlesque, on pourrait dire que c'est le seul moment uniformément comique de la pièce, par son apparent non-sens, la manière dont l'acteur doit le débiter et le pugilat qui s'ensuit.

Pourtant, contrairement aux séquences de comique gestuel, il s'agit bien là de parole, et connaissant la méticulosité de Beckett, on se doute qu'il ne s'est pas livré, pour l'écrire, à du simple remplissage sonore. À preuve un autre passage très amusant, celui où Vladimir et Estragon en viennent, comme ils le disent, à « s'engueuler », et où Beckett se contente d'écrire : « *Échange d'injures.* » S'il n'avait eu aucune intention spécifique, l'auteur aurait tout aussi bien pu faire confiance à la faculté d'improvisation du comédien tenant le rôle de Lucky, et se contenter d'indications générales sur la durée, le rythme, la teneur du discours.

Or le monologue est bel et bien rédigé et, qui plus est, il est présenté dans une typographie particulière : les indications scéniques concernant les intonations de Lucky et les réactions des autres personnages sont presque toutes rejetées dans la marge, alors qu'il aurait été possible de les insérer à l'intérieur de la tirade, entre parenthèses, comme c'est habituellement le cas.

On peut ainsi avancer l'hypothèse que ce monologue, contrairement aux apparences, a quelque chose à dire, qui peut ne pas être le sens ultime de la pièce, mais qu'on ne saurait négliger, et que nous allons donc tenter d'analyser en détail.

■ La divine providence ?

Le premier motif, qui occupe le premier tiers du « discours », est celui d'une divinité, dont on voit immédiatement le rapport avec des éléments capitaux de la pièce. Or ce dieu a ici perdu son mystère, puisque son existence « jaillit des récents travaux » de « Poinçon et Wattmann » (référence ludique, après les « travaux publics », au tramway, où le billet était poinçonné – on ne disait pas encore « composté » – par un poinçonneur, et qui était conduit par un machiniste qu'on appelait wattman). En outre, il s'agit bel et bien d'un « Dieu personnel » (avec majuscule), d'un Dieu « à barbe blanche », correspondant aux représentations les plus naïves du christianisme, et non de la divinité abstraite en laquelle certains philosophes réconcilient foi et raison.

Mais qu'attend-on d'un « Dieu personnel », plus particulièrement du Dieu chrétien ? Qu'il s'intéresse à ses créatures, aux êtres humains, et qu'il veille à leur salut. Mais ici, déception : rien de tout cela ; celui-là est

caractérisé par son « apathie » (absence de tout sentiment, indifférence, et donc inaction, terme employé
dans la philosophie antique), son « athambie » (imper-
turbabilité, terme philosophique extrêmement rare) et
son « aphasie » (absence de parole, terme habituellement lié à des états pathologiques).

Donc Dieu existe mais ne sent rien, n'est touché par
rien, ne fait rien, ne dit rien. Quel intérêt dès lors à savoir
qu'« il nous aime bien » (et encore, « à quelques excep-
tions près » !) et qu'il « souffre […] avec ceux qui sont
[…] dans le tourment dans les feux […] dans les
flammes » ? Un Dieu qui souffrirait, qui compatirait avec
les damnés, mais sans rien faire pour leur salut, la belle
affaire ! Voilà une excellente raison pour que ces damnés
mettent « le feu aux poutres » (jeu de mots entre « le feu
aux poudres » et les « poutres », donc le sommet de
l'édifice, donc le ciel ou le Paradis). Ces nues peuvent
être « si bleues » et « si calmes », comme le ciel dans le
célèbre poème de Verlaine (après sa conversion au christianisme), cela ne les empêchera pas de flamber…

Et voilà pour Dieu.

■ L'homme qui rétrécit

La deuxième partie de la tirade laisse de côté Dieu
voué à griller dans son ciel bleu, et va s'intéresser à l'étage
inférieur, pourrait-on dire, c'est-à-dire à l'homme.

L'homme, y compris dans ses fonctions physiologiques les plus basses, on le voit d'abord dans les noms
facétieux donnés aux couples de savants imaginaires dont
les « travaux inachevés », après ceux de « Poinçon et
Wattmann », sont censés démontrer diverses choses.
« Fartov et Belcher » renvoient, par l'intermédiaire de l'anglais, au pet (to fart = péter) et au rot (to belch = roter).

Notons que cette fois leurs travaux ne sont pas « publics » mais « inachevés ». Quant à « Testu et Conard », ils peuvent revêtir deux significations différentes : au premier regard, « Testu » c'est « têtu », où l'accent circonflexe aurait rétrocédé sa place au « s » qu'il a remplacé au cours de l'évolution du français, tandis que « Conard » ne nécessite pas de commentaire ; on est donc édifié quant aux capacités mentales véritables des deux savants. Mais on peut aussi penser que « Testu » renvoie au moins autant à « testicule » qu'à « tête », tandis que « conard » est originellement une variante de « con », qui désigne en argot le sexe féminin, avant, par on ne sait quel glissement de sens peu flatteur, de vouloir dire « imbécile » ; les deux savants renverraient alors aux parties génitales masculines et féminines. Quant à « l'Acacacacadémie d'Anthropopopométrie », le bégaiement soudain de Lucky y fait comme par hasard apparaître le « caca » et le « popo » dont on sait à quoi ils renvoient dans le langage enfantin.

Il est ensuite question de l'amélioration des conditions de vie, incontestable dans les pays développés depuis un siècle, et dont on sait qu'elle a considérablement fait progresser la santé publique et allongé l'espérance de vie. Il y a « progrès de l'alimentation » (« et de l'élimination des déchets », ajoute logiquement Beckett, pour qui ingestion appelle excrétion). Et pourtant l'anthropométrie (la science consistant à mesurer diverses caractéristiques physiques des hommes) montre que cet homme mieux nourri « est en train de maigrir ».

L'homme, on le voit enfin apparaître en plein effort dans le discours de Lucky, en pleine action, sportive essentiellement : tennis (sur gazon et sur terre battue mais aussi sur sapin et sur glace !), football, course à pied et à bicyclette, natation, équitation, aviation (mais pas « conation », qui est un terme philosophique pour désigner l'effort, la volonté en général), camogie (une sorte de hockey joué en Irlande), hockey (sur glace mais aussi sur asphalte, plutôt que sur gazon, voire sur terre, sur mer et dans les airs) et golf, mais tout de même pas la pénicilline (médicament qui fut à l'origine des antibiotiques, et qui a donc tout de même un rapport évident avec l'amélioration des conditions d'hygiène et de vie).

Et tout cela n'empêche pas l'homme, en moyenne, de rétrécir. Depuis la mort de Voltaire (donc en deux siècles environ), chaque individu aurait perdu en moyenne « deux doigts » et maigri de « cent grammes ». On sait bien sûr que la réalité est tout autre, et que les gens sont nettement plus grands et plus lourds aujourd'hui que jadis. Mais l'argument est sans doute à prendre métaphoriquement : c'est la place de l'homme dans l'univers qui rétrécit ; l'homme, détrôné du centre du monde par Copernic et Galilée, s'est ensuite vu ravir sa place centrale parmi les êtres vivants par la théorie darwinienne de l'évolution, pour être enfin bouté hors du contrôle de sa propre conscience par l'inconscient freudien… Proportionnellement, on peut donc dire en effet qu'il a « rétréci ». Comme dit Lucky, « les faits sont là ».

Et voilà pour l'homme.

■ « Tu redeviendras poussière »

Mais voici que la troisième partie du discours nous apporte les travaux (« en cours », cette fois, mais finalement « abandonnés » : tout se déglingue à mesure que Lucky avance) de « Steinweg et Petermann ». Le jeu de mots multilingue nous montre que « Steinweg », en allemand, c'est un chemin de pierre, tandis que la combinaison du « Mann » allemand (ou du « man » anglais) et de la racine latine « petra » fait de

« Petermann » (outre l'assonance comique avec « péto-
mane », qui le renverrait du côté de « Fartov ») un
« homme de pierre ».

Nom très adéquat, puisque la théorie des deux
savants démontre, moins nettement que les précé-
dentes car l'excitation croissante de Lucky brouille
considérablement son propos, que tout (le feu, l'air,
la terre, la mer, c'est-à-dire les quatre éléments de
l'ancienne alchimie) est en définitive fait « pour les
pierres ». On voit ici se profiler une destinée minérale
pour toute la création, tout comme la liturgie chrétienne fait dire lors des enterrements : « tu es poussière et tu redeviendras poussière ».

Cette interprétation ne paraîtra pas trop hasardée si
l'on compare *En attendant Godot* avec d'autres textes
de Beckett : *Fin de partie* et sa vision d'une terre ravagée, comme au lendemain d'une guerre atomique,
L'Innommable et le vide absolu où résonne la voix du
narrateur, *Le Dépeupleur, Tous ceux qui tombent*...

Et voilà pour le monde.

Le monologue de Lucky, d'une certaine façon,
règle donc leur compte, d'une manière comique et
détournée, à diverses questions qui traversent la
pièce : Dieu, la condition humaine, le monde où nous
vivons. Et les réponses qu'il donne sont tout sauf
optimistes. Est-ce que ce sont les réponses de
Beckett ? Une fois encore, quel qu'ait pu être, pour
autant qu'on puisse en juger, le pessimisme foncier de
l'auteur, rien ne nous autorise à penser qu'en un
endroit quelconque de son œuvre il ait désiré produire quoi que ce soit qui puisse, de près ou de loin,
ressembler à un « message ». Mais on ne peut que
constater que, lorsque des éléments sont fournis, fût-

ce dans la confusion d'un monologue avant tout comique, ils ne prêtent guère à la joie de vivre.

4 – SENS INTERDIT ?

■ « RE-lève ton pantalon »

De toutes les analyses thématiques qui précèdent il ressort... que l'on a beaucoup de mal à assigner une signification à *En attendant Godot*. On peut donc se demander si, finalement, ce flou, cette instabilité des significations que l'on se propose d'y rechercher ne constituerait pas le véritable motif de la pièce.

En effet, les dialogues entre les personnages sont émaillés de très nombreux petits accidents de communication. On le constate dès les premières répliques : au « Rien à faire » d'Estragon, qui concerne sa chaussure, Vladimir répond par des considérations d'emblée métaphysiques. Tous les échanges vont être marqués des mêmes petites incompréhensions ponctuelles, des mêmes brouillages qui perturbent la transmission du sens.

Les dérapages concernent le plus souvent des termes ou des membres de phrases isolés, mais cela suffit à faire capoter l'échange. Il arrive que le mot mal entendu soit particulièrement significatif. Lorsque Vladimir se lance dans un discours sur « le Sauveur » et qu'Estragon l'interrompt avec un « Le quoi ? », la plaisanterie est claire : l'idée même de salut semble tellement peu crédible que le mot n'appartient pas au registre de vocabulaire qui lui est immédiatement accessible. D'autres fois, c'est une tournure un peu complexe qui demande à être scrutée plus attentivement : « Il s'en est fallu d'un cheveu qu'on ne s'y soit pendu. (*Il réfléchit.*) Oui, c'est juste (*en détachant les mots*) qu'on-ne-s'y-soit-pendu », ou encore : « (V) Malgré qu'on en ait. – (E) Comment ? – (V) Malgré qu'on en ait. » Quant à la première entrée en scène de Pozzo, elle donne lieu à un échange comique, long d'une vingtaine de répliques, jouant sur les diverses articulations Pozzo, Bozzo, Gozzo, Godot.

En d'autres circonstances, on tourne autour du mot juste sans parvenir apparemment à le localiser tout à fait. Estragon est alors le plus obstiné à faire prévaloir sa version, tandis que Vladimir continue à aligner les mots. Ainsi lors de l'évocation des « voix mortes » au deuxième acte : « (V) Ça fait un bruit d'ailes. – (E) De feuilles. – (V) De sable. – (E) De feuilles. » Puis « (V) Elles parlent toutes en même temps. (…) Plutôt elles chuchotent. – (E) Elles murmurent. – (V) Elles bruissent. – (E) Elles murmurent. » Enfin : « (V) Ça fait comme un bruit de plumes. – (E) De feuilles. – (V) De cendres. – (E) De feuilles. » Un peu plus tard : « (V) Je t'assure, ce sera une diversion. – (E) Un délassement. – (V) Une distraction. – (E) Un délassement. » Plus loin encore : « (V) Si on faisait nos exercices ? – (E) Nos mouvements. – (V) D'assouplissement. – (E) De relaxation. – (V) De circumduction. – (E) De relaxation. »

Il faut dire que la possibilité même du sens est hypothéquée par les multiples strates de signification que l'histoire et les générations ont inscrites dans chaque mot, avec leurs « voix mortes » : « (V) Que disent-elles ? – (E) Elles parlent de leur vie. – (V) Il ne leur suffit pas d'avoir vécu. – (E) Il faut qu'elles en parlent. – (V) Il ne leur suffit pas d'être mortes. – (E) Ce n'est pas assez. » Le passage sur les voix mortes, assurément le plus beau de la pièce d'un point de vue « poétique », est aussi l'un des plus pessimistes quant à l'usage du langage, que l'épaisseur du temps embellit, mais aussi obscurcit.

L'incompréhension peut aller jusqu'à l'inversion complète du sens. L'exemple le plus net, et aussi le plus drôle, se situe tout à la fin de la pièce. La tentative de pendaison a échoué et, qui pis est, Estragon y a perdu sa ceinture. S'ensuit l'échange suivant :

> « VLADIMIR : Relève ton pantalon.
>
> ESTRAGON : Comment ?
>
> VLADIMIR : Relève ton pantalon.
>
> ESTRAGON : Que j'enlève mon pantalon ?
>
> VLADIMIR : RE-lève ton pantalon.
>
> ESTRAGON : C'est vrai. »

On n'a pas toujours affaire, dans les cas de mauvaise compréhension, à des quiproquos de type comique, comme ce serait le cas avec de semblables incidents dans le théâtre classique (jusqu'au vingtième siècle inclus), même si cette dimension est rarement absente, et parfois prédominante (dans l'épisode du pantalon à relever/enlever par exemple). Ce qui est simplement souligné, c'est la difficulté de bien dire et de bien comprendre.

Or, des difficultés de communication qui seraient banales dans la vie réelle acquièrent bien sûr un tout autre relief, du fait même qu'elles apparaissent sur scène, dans un texte écrit. L'œuvre littéraire est toujours supposée être quelque chose d'achevé, qui ne laisse pas de place à l'à-peu-près ni à l'incomplet : tout doit y être intentionnel. Dans *En attendant Godot*, au contraire, il semble que se produisent des « ratés » d'expression qui n'ajoutent guère à ce que dit la pièce. Il est toutefois impossible, naturellement, de les supposer sans intention. Mais l'intention peut être variable : dans certains cas l'auteur semble viser à l'effet comique (le pantalon) ou poétique (le dialogue sur « les voix mortes ») ; ailleurs, il se contente d'indiquer que la communication entre les hommes est par nature défectueuse, indépendamment des modalités spécifiques que peut revêtir ce défaut.

Si l'on ajoute à cette imperfection de la communication le désir forcené de communiquer tout de même, on parvient à une situation où rien ne peut se faire de manière satisfaisante. Le statut de l'être humain trouve du reste son emblème dans celui de l'écrivain, qui pousse ce paradoxe au paroxysme, pris qu'il est entre le désir d'expression et l'impossibilité de trouver une expression parfaitement adéquate à ce qu'il y aurait à dire.

Dès lors, on peut parvenir, péniblement, à ce que de petites choses se fassent tout de même. Estragon finit par relever son pantalon, et non l'enlever, de même qu'il parvient, plus ou moins mal, à résoudre ses problèmes de chaussures. Cela est assez bien résumé par la remarque de Vladimir, à qui Estragon signale que sa braguette est ouverte et qui dit, en la reboutonnant : « Pas de laisser-aller dans les petites choses. » Le propos est un peu celui même de Beckett : frappés d'impuissance face à la réalité dans son ensemble, nous pouvons nous appliquer à réussir de notre mieux ce qui est à notre portée (disons, par exemple, une œuvre littéraire…). Mais il serait bien sûr insensé d'espérer beaucoup plus : comprendre la transformation qui frappe Pozzo et Lucky, sans parler même d'élucider grâce à Godot le pourquoi et le comment de tout cela, voilà qui relève du chimérique – une chimère pourtant confortable, ou moins inconfortable que ne le serait le fait d'y renoncer, et qui fait le fil des jours de Vladimir et Estragon (pour ne pas dire tout simplement des hommes).

■ « Ils ne bougent pas »

Toute la pièce repose peut-être, en définitive, sur l'impossibilité qu'il y a à articuler de manière stable et cohérente le monde et le discours que nous pouvons tenir sur lui, la réalité et le sens, le mot et la chose.

Si Vladimir et Estragon attendent Godot, sans trop savoir exactement pourquoi, ce peut être parce que lui seul, suppose-t-on, serait en mesure de lever le voile qui recouvre constamment ce paysage et ceux qui l'habitent, voile d'incertitude, de choses mal dites, redites, oubliées, voile de doute et d'incompréhension.

Si l'on tente un bilan de ce qui advient à Vladimir et Estragon, que constate-t-on ? Ils sont accablés de toutes sortes de maux, tout d'abord. Il y a les maux physiques : douleurs aux pieds, au crâne, que redoublent chaussures et chapeaux ; problème, peut-on supposer, de vessie ou de prostate, qui empêche d'uriner, et transforme toute velléité de rire en redoutable épreuve ; mal de l'inévitable décrépitude physique liée à la vieillesse, avec son cortège de nostalgie d'un passé qui, à y regarder de près, n'a pas dû non plus être bien rose (sinon Estragon se plaindrait-il d'avoir passé toute sa « chaude-pisse » d'existence […] dans la Merdecluse » ?).

Ces souffrances sont redoublées par l'inconfort extrême de leur position « sociale » (bien que la société soit de fait assez absente, en tant que telle, de la pièce). Ils n'ont pas de logis, dorment dans les fossés, subissent (Estragon surtout) d'inexplicables violences de la part de parfaits inconnus. Les seuls autres aperçus que l'on ait sur les rapports sociaux, ceux qui lient (littéralement !) Pozzo et Lucky, et ceux qu'entretient, suppose-t-on, Godot avec les jeunes garçons qui lui servent apparemment de valets de ferme, ne sont pas plus riants. L'état de leurs vêtements laisse assez clairement comprendre l'extrême dénuement de Vladimir et Estragon, sans même parler du défi quasi insoluble que constitue pour eux le besoin de se nourrir, réduits qu'ils sont à grignoter les racines (carottes, radis, navets) arrachés aux champs alentour, ou à sucer les os de poulet dédaigneusement rejetés par Pozzo puis Lucky.

Enfin leur état mental est plus qu'inquiétant : pour un observateur extérieur (le lecteur ou le spectateur en l'occurrence), la confusion des idées, l'amnésie chronique, tout constitue le parfait tableau d'une grande déréliction intellectuelle. Le fait que Vladimir brasse souvent de grandes idées sur la religion ou la condition humaine constitue davantage une idée fixe qu'une vraie méthode de réflexion permettant de progresser tant soit peu.

Face à ce constat, qu'y a-t-il de positif ? L'attente de Godot constitue-t-elle une amélioration par rapport à cet état désastreux ? Oui si l'on considère qu'elle leur donne en quelque sorte une raison de vivre, non si l'on se rend compte que, pour user d'un vocabulaire très à la mode à l'époque où la pièce fut créée, elle témoigne surtout de leur aliénation à une forme de pouvoir dont ils ne savent rien mais dont ils attendent, naïvement, tout.

Remarquons du reste que Godot ne constitue pour eux qu'une issue possible, une autre étant de se pendre. La pendaison présente l'avantage non négligeable d'être « un moyen de bander », comme le signale Vladimir (on devine qu'ils ont peu d'occasions en effet de connaître cette sensation en temps normal), mais requiert le secours d'une corde qu'ils ne possèdent pas. Ou plutôt, la seule qu'ils possèdent, et qui tient lieu de ceinture pour Estragon, s'avère trop fragile pour supporter leur poids. Mais l'éventualité demeure ouverte à la fin de la pièce : « (V) On se pendra demain. (*Un temps.*) À moins que Godot ne vienne. – (E) Et s'il vient ? – (V) Nous serons sauvés. » L'hypothèse du salut ne déclenche, notons-le, nul enthousiasme chez eux : elle n'est qu'une alternative à la pendaison.

Pourtant, il est un inconvénient à la pendaison : elle risque de les séparer, pour peu qu'il se présente une corde suffisamment robuste pour pendre le premier, mais qui cède sous le poids du deuxième ; c'est le petit problème de physique développé par Estragon au premier acte, et qui les convainc de ne rien faire. Il semble d'ailleurs exister d'autres futurs possibles, puisque sur la demande insistante d'Estragon, Vladimir promet à un moment de céder à son désir d'aller se « balader dans l'Ariège ». La seule caractéristique commune à tous ces futurs, qu'il s'agisse de Godot, de l'Ariège ou de la pendaison, est de ne jamais se réaliser. L'unique certitude, c'est celle de la mort qui viendra, délivrance peut-être (« C'est long, mais ce sera bon »), et dont l'attente est, en commun, plus vivable.

On touche là à une des rares valeurs positives de la pièce, et qui n'est pas l'objet de trop de dérision : l'amitié. Le compagnonnage entre Vladimir et Estragon est visiblement ancien, puisqu'il remonte à l'époque où l'on a construit la tour Eiffel (plus de soixante ans tout de même à la création de la pièce !), il obéit à toute une série de règles non dites mais intangibles, dont les causes demeurent opaques pour le spectateur, mais qui sont évidentes pour les personnages : ils se quittent chaque soir pour se retrouver le lendemain, se sont une fois pour toutes « réparti les rôles », Vladimir l'intellectuel et Estragon le matérialiste, Vladimir qui ranime chaque jour la flamme et Estragon qui ronchonne, Vladimir qui se souvient et Estragon qui oublie.

Ils ne s'interpellent du reste jamais par leurs vrais noms, mais par les sobriquets de Didi et Gogo (au point que les occurrences de leurs noms véritables, si elles sont fréquentes dans les indications scéniques, sont rarissimes dans les dialogues). Certes, la communication entre eux échoue souvent : difficulté à comprendre et à se faire comprendre, refus de l'un, souvent, d'écouter l'autre (Vladimir ne voulant pas entendre une fois de plus l'histoire drôle d'Estragon sur l'Anglais au bordel, Estragon menaçant à tout instant de s'en aller lorsqu'il est question d'attendre Godot), brouilles parfois. Mais aussitôt réconciliation, bruyante, avec embrassades et tapes dans le dos, et connivence immédiatement rétablie.

Les rapports entre Vladimir et Estragon sont bien résumés par les mots qu'adresse le second au premier au début du deuxième acte : « Ne me touche pas ! Ne me demande rien ! Ne me dis rien ! Reste avec moi ! » Il n'y a dans ce passage presque rien de l'humour qui anime toute la pièce, mais surtout l'expression pathétique d'un sentiment vrai, que va manifester concrètement quelques instants plus tard l'accolade entre les deux compères. De même, peu après, lorsque Vladimir dit : « Maintenant... (*joyeux*) te revoilà... (*neutre*) nous revoilà... (*triste*) me revoilà », ce passage marque bien le réconfort, face à l'enfer de l'existence, qu'apporte la présence d'autrui.

Vladimir et Estragon sont unis par la communauté de leurs expériences et de leurs attentes, ainsi que par la commune et secrète conviction (inavouée) qu'il n'y a rien à attendre, et que le temps, la seule dimension de l'existence, est à meubler au mieux de leurs efforts. Dès lors, le fait que, malgré le « Alors on y va ? – Allons-y » qu'ils s'échangent rituellement à la fin de chaque vaine journée, « *ils ne bougent pas* », n'est pas forcément à interpréter comme de la vacuité, de l'aliénation ou de l'accablement. On peut aussi y voir une secrète et commune acceptation du monde dans son insignifiance, contre quoi les prémunit en partie le lien qui les unit.

■ Du bon usage du gérondif

On pourra remarquer que les analyses que nous avons présentées ici n'ont pratiquement pas fait usage de la notion de tragique, si souvent utilisée pourtant pour décrire *En attendant Godot*. Ce n'est pas que de nombreux éléments de la pièce ne semblent appeler ce concept, dans son acception la plus banale (bien que d'autres pointent ostensiblement vers le comique, voire vers la farce ou le music-hall, comme la scène d'échange des chapeaux). Mais d'un point de vue dramatique, on peut défendre une opinion différente : *En attendant Godot* est le contraire d'une tragédie en ce sens que la pièce ne s'intéresse jamais au dénouement, mais au seul déroulement de l'action.

Le lecteur ou spectateur perspicace, même s'il n'a jamais entendu parler de l'œuvre (ce qui, admettons-le, est un cas rare, étant donné sa notoriété), a vite fait de deviner que Godot ne viendra jamais. Dès lors, ce sont les modalités de sa non-venue qui vont retenir l'attention, et la manière dont les personnages vont l'aménager. Nous l'avons souligné : un thème fondamental de la pièce n'est autre que le temps, celui qu'évoque Pozzo au deuxième acte pour dire que « les aveugles n'ont pas la notion du temps ». Le temps en soi n'est pas tragique, sauf si l'on se focalise sur l'aspect inéluctable de son déroulement, qui conduit forcément à la tombe – ce dont Vladimir, par exemple, est conscient : « Elles accouchent à cheval sur une tombe, le jour brille un instant, puis c'est la nuit à nouveau » ; mais aussi Estragon : « On ne descend pas deux fois dans le même pus », parodiant la célèbre formule du philosophe Héraclite (« on ne descend pas deux fois dans la même eau », signifiant que même ce qui paraît immuable, tel un fleuve, est en réalité en perpétuel changement).

La question est pourtant moins ce qui va advenir (se pendre ? dormir bien au chaud sur la paille, le ventre plein, chez Godot ?) que l'écoulement du temps qui le fera advenir. À cet égard, une bonne partie du sens de la pièce est peut-être contenue dans son titre même. En anglais, c'est *Waiting for Godot*, avec la forme « waiting », participe présent certes, mais servant également à la construction du présent progressif dont la distinction avec le présent simple pose tant de problèmes aux anglicistes débutants : « I wait », « j'attends », mais « I am waiting », « je suis en train d'attendre ». Ce qui est souligné, c'est l'attente en train de se dérouler.

De même en français, Beckett (peut-être par analogie avec la formule anglaise qui a pu lui venir la première à l'esprit) a eu recours au plus rare des sept modes de conjugaison du verbe : le gérondif, qui n'a précisément d'autre fonction que d'évoquer une action sous l'aspect de son seul déroulement (à l'intérieur duquel peuvent prendre place d'autres actions). Ce styliste pointilleux a ainsi condensé, dans la seule forme grammaticale, une bonne part de ce qu'il nous montre : indépendamment du but à atteindre ou de la fin prochaine, c'est dans l'entre-temps, dans la tension de l'instant, des multiples instants (cette tension fût-elle très lâche, et prît-elle occasionnellement la forme de l'ennui), que nous le voulions ou non, que se joue toute notre vie.

4
ÉCHOS
ET
CORRESPONDANCES

1 – AU FIL DE BECKETT,
OU : CAP AU PIRE

■ Une spirale sans fin

L'œuvre de Samuel Beckett est l'une des plus cohérentes qui soit. Cohérente, elle l'est en tout : dans ses personnages, dans ses thèmes, dans son ton.

Cette unité d'inspiration se ressent tout particulièrement dans ses œuvres dramatiques, auxquelles nous limiterons ici nos commentaires. Chronologiquement, elles sont le dernier grand genre littéraire abordé par l'écrivain. On peut donc avancer qu'il a commencé à écrire des textes pour la représentation alors qu'il avait déjà atteint sa pleine maturité (à plus de quarante ans, et ayant déjà derrière lui plusieurs romans majeurs). Dès lors, son œuvre dramatique ne comporte aucune des hésitations qui marquent le début de son œuvre romanesque, hésitations dont le point final fut le choix d'écrire en français (approximativement contemporain, au demeurant, de la première pièce de théâtre).

Si l'on met de côté *Éleuthéria*, que Beckett renia, et qui ne fut publié (d'abord aux États-Unis) qu'après sa mort, et contre la volonté de Jérôme Lindon, son éditeur français, l'ensemble de la production dramatique de Beckett semble suivre un fil très net, une sorte de spirale qui conduit peu à peu vers moins de mots, moins de lumière, moins de gestes. Relevons quelques étapes de ce parcours.

■ *Fin de partie*

Sa deuxième pièce effectivement représentée, qui ne fut écrite que longtemps après *En attendant Godot*, puisqu'elle fut rédigée entre 1954 et 1956 (six à huit ans après la pièce que nous étudions) et qu'il fallut attendre 1957 pour la voir, s'intitule *Fin de partie*. Cette pièce comporte un acte unique, mais on sait que Beckett avait d'abord projeté de la composer en deux actes, ce qui aurait souligné davantage sa parenté avec *En attendant Godot*. S'il a opté pour l'acte unique, c'est peut-être, entre autres, pour que passe plus inaperçue la profonde affinité qui lie, par divers aspects, les deux œuvres.

Le décor semble nous introduire dans un monde très différent de celui d'*En attendant Godot* : un espace qui ressemble plus à l'intérieur d'un bunker qu'à autre chose, une lumière pâle, presque grise, aucun signe de quoi que ce soit de vivant, pas même d'un arbre rachitique. Si, tout de même, l'immobilité finit par être rompue par un personnage au fond de la scène, très voûté, au teint très rouge. C'est Clov. Un quart des effectifs de la pièce, puisque n'interviendront par la suite que Hamm, Nell et Nagg.

Hamm et Clov, dont les noms mêmes constituent un calembour multilingue entre le marteau (anglais « hammer ») et le clou, forment un couple étrange, père adoptif et enfant adopté, ou bien maître et valet. Leurs rapports rappellent nettement ceux de Pozzo et Lucky dans *En attendant Godot*, si ce n'est que Hamm est d'emblée présenté comme aveugle et paralysé (alors que Pozzo n'était frappé de cécité qu'au deuxième acte). Les deux personnages s'opposent même physiquement, Clov très rouge et Hamm très blanc, peut-être pour rappeler l'opposition des couleurs au jeu d'échecs, qui est l'une des clefs de la pièce (aux échecs, la « fin de partie » est le moment du jeu où, la plupart des pièces ayant été éliminées, on joue les derniers coups qui décideront de la victoire – ou de la partie nulle…).

Mais Hamm n'est pas sans entretenir par ailleurs certains rapports avec ce que l'on pouvait supposer être Godot dans la première pièce : la Terre semble avoir été frappée par une sorte de cataclysme qui n'aurait laissé en vie que les quatre occupants de la scène, mais longtemps auparavant déjà les signes avant-coureurs du désastre s'étaient manifestés, et le vrai père de Clov (c'est Hamm lui-même qui le raconte dans la sorte de « roman vrai » qu'il entreprend occasionnellement d'improviser à haute voix) était venu confier son fils à Hamm, apparemment homme puissant et respecté.

Nell et Nagg, eux, sont des personnages qui ne rappellent rien de ceux d'*En attendant Godot*. Ce sont les parents de Hamm, non pas paralytiques mais culs-de-jatte, que l'on laisse s'éteindre lentement dans deux poubelles. Pourtant la gourmandise insatiable de Nagg (dont le nom même évoque le verbe anglais « to nag » qui signifie « grignoter »), et l'histoire drôle qu'il ressasse invariablement ne sont pas sans rappeler certains traits de caractère de Vladimir et Estragon, alors que Nell évoque à un moment des bonheurs passés qui peuvent rappeler les souvenirs ensoleillés des deux vagabonds.

Mais le rappel le plus évident d'*En attendant Godot*, c'est surtout l'impossibilité de partir, alliée au désir de partir. Hamm, maître de son monde miniature, et dont la vie se rythme de ses prises de calmants et de stimulants, ne peut bouger de toute façon, mais Clov menace sans cesse de quitter le bunker, vouant du même coup son tortionnaire à mourir de faim.

À la fin de la pièce, Clov semble à deux doigts de mettre sa menace à exécution, il se tient debout avec ses bagages. Mais *Fin de partie* se termine sans qu'il ait bougé. On a déjà vu cela, à deux reprises, au terme des deux actes d'*En attendant Godot* : « – Alors, on y va ? – Allons-y. (*Ils ne bougent pas.*) » Dans un cas comme dans l'autre, le désir de changement (et d'abord de changement de lieu) se double d'une sorte d'impossibilité que les personnages rationalisent tant bien que mal dans *En attendant Godot* (la nécessité d'attendre Godot), mais plus vraiment dans *Fin de partie* : le geste se trouve toujours arrêté au bord de son accomplissement, victime peut-être de l'incertitude quant à ce qui va suivre.

Par rapport à *En attendant Godot*, la tendance à l'autodérision s'accentue. C'est ainsi que (en partie pour répondre aux critiques de tout poil qui avaient cherché à percer le supposé mystère de Godot, en partie comme une sorte de mot de ralliement de toute l'œuvre beckettienne), Hamm demande à un moment avec angoisse : « On n'est pas en train de... de... signifier quelque chose ? » Ailleurs, une tentative de prière de Clov et Hamm s'étant avérée, comme c'était prévisible, sans effet, Hamm a au sujet de Dieu cette phrase dont le paradoxe résume bien l'ambiguïté amusée de Beckett quant à la religion : « Le salaud ! Il n'existe pas ! » Tout *En attendant Godot* pourrait répondre à cette phrase : d'une part on sait, certes, que « Dieu est mort », comme la plus grande part de la pensée moderne l'affirme depuis Nietzsche, mais d'autre part l'homme n'a pu encore se résigner à penser le monde sans cette intervention d'une force suprême, rendue coupable, par son absence même, des maux qui accablent l'humanité.

Fin de partie contient enfin un apologue (une histoire drôle, en réalité) souvent cité par Beckett, et qui pourrait bien être le point ultime auquel il ait porté ce qu'il était disposé à nous dire, plus ou moins explicitement, de sa vision du monde. Citons-la intégralement, dans les termes de Hamm :

> « (*Voix de raconteur :*) Un Anglais – (*il prend un visage d'Anglais, reprend le sien*) – ayant besoin d'un pantalon rayé en vitesse pour les fêtes du Nouvel An se rend chez son tailleur qui lui prend ses mesures. (*Voix du tailleur :*) "Et voilà qui est fait, revenez dans quatre jours, il sera prêt." Bon. Quatre jours plus tard. (*Voix du tailleur :*) "Sorry, revenez dans huit jours, j'ai raté le fond." Bon, ça va, le fond, c'est pas commode. Huit jours plus tard. (*Voix du tailleur :*) "Désolé, revenez dans dix jours, j'ai salopé l'entre-jambes." Bon, d'accord, l'entre-jambes, c'est délicat. Dix jours plus tard. (*Voix du tailleur :*) "Navré, revenez dans quinze jours, j'ai bousillé la braguette." Bon, à la rigueur, une belle braguette, c'est calé. (...) Enfin bref, de faufil en aiguille, voici Pâques Fleuries et il loupe les boutonnières. (*Visage, puis voix du client :*) "Goddam, Sir, non, vraiment, c'est indécent, à la fin ! En six jours, vous entendez, six jours, Dieu fit le monde. Oui Monsieur,

parfaitement Monsieur, le monde ! Et vous, vous n'êtes pas foutu de me faire un pantalon en trois mois !" (*Voix de tailleur, scandalisée :*) " Mais Milord ! Mais Milord ! Regardez – (*geste méprisant, avec dégoût*) – le monde… (*un temps*)… et regardez – (*geste amoureux, avec orgueil*) – mon pantalon !" »

Cette histoire, on la retrouve dans le sous-titre d'un des textes que Beckett a consacrés à la peinture contemporaine : *La peinture des Van Velde ou le monde et le pantalon*. Le sous-titre n'est d'ailleurs pas explicité dans ce texte, ce qui rend précieuse la connaissance de *Fin de partie* ! Si Beckett a recouru à deux reprises à cette histoire, dont une dans un ouvrage consacré à la création artistique (picturale en l'occurrence, mais notre auteur n'a jamais tracé de limites strictes entre les diverses formes d'expression), c'est qu'il devait y voir quelque vérité, fût-elle de forme badine. L'idée que l'on peut en retenir, c'est que, face à l'imperfection du monde, de l'univers, de ce que les Anciens auraient appelé le macrocosme, le seul recours n'est ni de se lamenter, ni de chercher à l'amender, mais de se replier vers le monde qui nous est immédiatement accessible, vers le microcosme, pour réaliser à cette modeste échelle un peu de cette beauté (à défaut de sens) que le monde nous refuse. Ce peut être par l'art, ce peut être par la sagesse – toute voie est bonne, du moment qu'on ne la prétend pas infaillible et universelle. Peut-être est-ce ce qui a manqué à Vladimir et Estragon pour renoncer à attendre Godot et pour vivre un instant heureux.

■ *La Dernière Bande*

La Dernière Bande, pièce d'abord écrite en anglais (en 1958) sous le titre *Krapp's last tape*, passe pour être la pièce où Beckett aurait mis le plus de lui-même, au niveau autobiographique – ce qui ne peut de toute façon, étant donné son extrême discrétion quant à sa vie privée, nous donner que des indications fragmentaires et incertaines. Pourtant on ne peut, sous l'amère ironie du personnage unique de cette pièce, s'empêcher de deviner une part de l'auteur.

La Dernière Bande met en effet en scène un seul personnage, vieux et mal en point comme la plupart des créatures beckettiennes. Il se livre à un rituel qu'il pratique, semble-t-il, depuis fort longtemps : il enregistre ses idées, ses impressions, sur un magnétophone à bande (d'où le titre). L'évolution accélérée des techniques risque fort de donner à brève échéance au dispositif scénique de la pièce des allures préhistoriques, alors que l'œuvre était assez innovante voilà une quarantaine d'années : on ne disposait pas alors de moyens d'enregistrement et de reproduction numériques, ni même des magnétophones à cassettes que l'on utilise encore maintenant. Les enregistrements se faisaient sur des bandes d'une dimension plus importante, enroulées sur des bobines plastiques, que n'utilisent plus guère aujourd'hui (et encore) que les preneurs de son professionnels. C'est donc un appareil de ce type qu'utilise Krapp.

Il semble plus intéressé par l'audition de ses bandes plus anciennes que par l'enregistrement d'une nouvelle session. C'est ainsi que le spectateur, écoutant en même temps que Krapp ses bandes d'autrefois, comprend qu'il a décidé, jeune encore, de consacrer son existence à la réflexion, à la pensée philosophique, et donc de renoncer, entre autres, aux plaisirs de l'amour. Un enregistrement pourtant retient son attention : celui où il relate son expérience amoureuse avec une jeune fille, et la promenade en barque qu'il fit avec elle.

Le motif est repris de *Fin de partie*, où Nell (la mère de Hamm) tentait de sortir Nagg de son gâtisme en lui rappelant une semblable promenade sur l'eau. Plus lointainement, on trouve là un héritage littéraire qui peut remonter aux *Rêveries du promeneur solitaire* de Rousseau, voire au-delà, et dont l'expérience bucolique des vendanges à Roussillon évoquée dans *En attendant Godot* était un autre avatar. Plus nettement qu'ailleurs, *La Dernière Bande* marque l'opposition irréductible entre l'aspiration et la réalité, la tendance humaine à vouloir l'idéal et l'oubli trop fréquent d'un bonheur possible, mais négligé parce que jugé médiocre.

Rétrospectivement, Krapp se rend compte qu'il a fait fausse route, qu'il a sacrifié sa vie à une chimère, à un but qui, l'eût-il même atteint, ne pouvait qu'être trompeur et décevant : ce faisant, il a laissé s'enfuir la jeunesse, l'amour, la vie même. Et ce passé qui aurait pu être, et qu'un choix malheureux a exclu, Krapp a, par malchance, la possibilité palpable d'en constater la perte, de par le dispositif d'enregistrement et de stockage de ses réflexions orales qu'il s'est inventé.

C'est pourquoi, en fait, c'est le magnétophone qui « parle » le plus durant la pièce. Tantôt, c'est le Krapp de la maturité, courant après sa chimère, et que le Krapp décrépit d'aujourd'hui interrompt sans ménagement, jouant abondamment de la commande « avance rapide » de son appareil ; tantôt c'est le Krapp jeune d'il y a trente ans, parfois annonçant triomphalement qu'il va consacrer son existence à l'étude (ce que le Krapp d'aujourd'hui supprime aussi sans ménagement), ailleurs se rappelant, à l'instant de s'en séparer, la jeunesse et l'amour (passages que le Krapp d'aujourd'hui, en revanche, se repasse inlassablement).

Le Krapp réel, celui qui est sur scène, n'ajoute que quelques commentaires désabusés comme : « Viens d'écouter ce pauvre crétin pour qui je me prenais il y a trente ans, difficile de croire que j'aie jamais été con à ce point-là. » C'est la bande qu'il est en train d'enregistrer et qui (le titre nous l'indique) sera la dernière, soit que Krapp sente venir sa fin, soit qu'il ait renoncé à poursuivre sa vaine tentative. À la fin, il arrache la bobine qu'il vient d'enregistrer et se repasse celle du jour où il a pris la fatale décision. La bande déroule le bonheur qui aurait pu être et la catastrophique décision, puis continue à tourner en silence devant Krapp, assis, muet et immobile.

Krapp pourrait être un Vladimir ou Estragon qui (comme le fait d'ailleurs Vladimir, de manière embryonnaire, dans *En attendant Godot*), face à l'apparente inanité des choses, aurait fait le choix de chercher du sens. Mais, alors que Vladimir et Estragon le faisaient en simples croyants, s'en remettant à « Godot » de la décision finale de donner ou non de la signification à tout cela, Krapp le fait, pourrait-on dire, en théologien ou en philosophe, ne faisant confiance qu'à lui-même pour élucider le mystère du monde. Cela lui rend évidemment plus « facile » (mais aussi plus douloureux certainement) de constater au bout du compte qu'il n'y a pas de réponse, ou peut-être pas de question, en tout cas pas la bonne réponse adaptée à la bonne question, ce qui rend nul et non avenu tout le chemin parcouru, comme était nulle l'attente de Godot.

■ *Oh les beaux jours*

Écrite en anglais en 1961 sous le titre *Happy days*, immortalisée en France par l'interprétation qu'en donnèrent Madeleine Renaud et Jean-Louis Barrault (qui tinrent encore le rôle à respectivement plus de 80 et plus de 70 ans, donnant une dimension plus poignante encore à la fragilité des personnages), *Oh les beaux jours* marque une nouvelle étape dans l'enfermement progressif des créatures beckettiennes, tout en confirmant le virage lyrique qu'amorçait *La Dernière Bande*.

Deux personnages seulement occupent la scène ; en fait, un seul pendant la quasi-totalité de la représentation : Winnie, une femme, la cinquantaine coquette, que le premier acte trouve enterrée jusqu'à la taille dans un monticule de terre. Elle a une ombrelle et un grand sac, dont elle va extraire quelques objets qu'elle regardera longuement. Surtout, elle va parler, intarissablement, et tout son discours sera sur le bonheur, bonheur des jours passés, du présent, bonheur des jours à venir. Elle agrémente son soliloque d'extraits de poésies classiques dont elle ne peut jamais se rappeler le détail, de commentaires sur les menus objets qui sont sa compagnie (elle déchiffre longuement et péniblement l'inscription qui figure sur sa brosse à dents, mais manipule aussi un revolver).

Après un long moment, un homme, Willie, s'extrait de l'arrière de la dune, qui le tenait caché au public. Il ne dit rien, semble incapable en fait de rien dire ni faire ; cela n'empêche pas Winnie de l'aimer tendrement et d'évoquer leurs souvenirs communs, à la manière de Nell dans *Fin de partie*. On semble avoir atteint à la fois un point de non-retour dans l'impuissance, et un point d'équilibre dans l'impossible confrontation entre la vie et l'aspiration au bonheur.

Pourtant le deuxième acte aggrave la situation : Winnie est cette fois enterrée jusqu'au cou ; plus d'ombrelle, plus de brosse à dents, plus de revolver non plus. Demeure seulement la sonnerie mystérieuse qui régulièrement la force à s'éveiller (signe de quelque divinité malfaisante ?). Mais est-ce une aggravation ? Pour Winnie apparemment non, puisqu'elle continue à savourer son bonheur d'être là. Willie, qu'on a bien cru mort derrière le monticule, finit par émerger, vêtu comme un dimanche, et fait le suprême effort d'avancer jusqu'au champ de vision de Winnie. À la fin de la pièce, ils se regardent longuement dans les yeux.

Beckett pousse ici plus loin qu'auparavant le paradoxe : la vie est invivable, et pourtant on l'aménage en quelque chose qui peut sembler du bonheur, même si cette notion apparaît dérisoire face à l'ampleur du désastre. Winnie est comme un Vladimir ou un Estragon qui aurait renoncé à attendre Godot (quelle raison de chercher un alibi pour ne pas partir, puisqu'elle ne le peut pas ?), mais qui aurait aussi décidé une fois pour toutes que l'absurdité de sa condition ne saurait en aucun cas la priver de vivre heureuse.

■ *Comédie*

Cette pièce, créée en 1964, est celle où va le plus loin l'enfermement, allié à l'aliénation des personnages. Contrairement à ce qui se passe dans *Oh les beaux jours*, rien ici ne semble devoir racheter les trois personnages de leur enfer.

Au centre de la scène, trois jarres côte à côte. Un homme et deux femmes y sont prisonniers, seule leur tête, visage tourné vers le public, en émerge. Ils ne se voient pas. Leurs interventions seront déterminées par le mouvement et l'intensité de la lumière : chacun parlera lorsque le projecteur viendra l'éclairer. Et tous trois raconteront leur version d'une situation de triangle classique, voire usée, du théâtre de boulevard (d'où le titre sardonique de *Comédie*) : le mari, la femme et la maîtresse. Même histoire sans cesse ressassée : à la fin, les mêmes phrases qu'au début.

Dans le fil de *Fin de partie*, Beckett pousse ici à l'extrême les potentialités « noires » que contenait *En attendant Godot*, celles de Pozzo et Lucky, ou celles de la réduction progressive de l'homme à un mécanisme doué de vie, mais dépourvu d'âme. Toute complicité a disparu, toute compassion, un point ultime est atteint, en fait, dans la déshumanisation, dont avaient malgré tout su se préserver Vladimir et Estragon.

■ Un monde à part

Beckett a fait entre-temps et ultérieurement d'autres tentatives dramatiques (et pas seulement théâtrales) : deux *Actes sans paroles*, des pièces radiophoniques où voix et musique se répondent (*Cascando, Paroles et musique*), d'autres pièces radiophoniques (*Tous ceux qui tombent, Cendres*), télévisuelle (*Dis Joe*), filmée (*Film*), une pièce où seule la bouche de l'interprète est éclairée (*Cette fois*) ; il s'est tourné vers des formes de plus en plus concentrées, certaines de ses pièces pouvant ne durer que quelques minutes. La tentative la plus extrême est *Souffle*, qui se déroule dans le noir, et où l'on n'entend qu'une longue inspiration, suivie d'une longue expiration.

Malgré ce que l'on pourrait penser à la lecture de ces lignes, le théâtre de Beckett n'apparaît pourtant jamais platement « expérimental », au sens que recouvre ce terme lorsqu'il désigne la production hasardeuse de textes plus ou moins abscons ou disloqués. Au contraire, ce qui frappe, c'est l'approfondissement progressif de sa vision du théâtre et de sa maîtrise des moyens théâtraux : mouvement, son, lumière, tout concourt à faire naître une sorte d'harmonie scénique qui ne souffre nulle approximation, d'équilibre, de perfection qui est en définitive, pour l'écrivain, la seule réponse qui nous soit accessible aux insolubles questions que nous pose l'univers.

2 – NOUVEAU THÉÂTRE, OU RENOUVEAU CLASSIQUE ?

■ Beckett et Ionesco

Des parcours comparables

Il est aujourd'hui d'assez bon ton de décrier Eugène Ionesco, qui a eu le tort, selon ses censeurs, de céder à la facilité, et de professer ouvertement, à partir des années soixante-dix, un engagement politique libéral et un retour à la religion, et de se faire élire à l'Académie française. Pourtant, à la fin des années quarante, il a été en première ligne de ceux qui ont renouvelé le théâtre en France, et il présente avec Beckett certaines similitudes intéressantes.

Eugène Ionesco était d'origine roumaine ; il apprit à parler d'abord en français, mais comme Beckett, il était bilingue, et le fait d'écrire en français plutôt qu'en roumain releva d'un choix, non d'une nécessité. Il était né en 1909 (bien que par coquetterie il ait longtemps fait croire que c'était en 1912 !). Sa famille s'installe à Paris alors qu'il est tout enfant mais, plus tard, suite à la séparation de ses parents, il vivra alternativement en France et à Bucarest. C'est en 1938 qu'il s'installe définitivement à Paris, théoriquement pour y préparer une thèse de doctorat (comme Beckett) qui ne sera pas achevée. Après des années difficiles, sa première pièce, *La Cantatrice chauve*, fait scandale, et obtient un énorme succès à partir de 1950 ; la pièce sera représentée plus de quarante ans sans interruption dans la même salle !

Certaines de ses pièces ultérieures seront des paraboles politiques (*Rhinocéros*) ou métaphysiques (*Le roi se meurt*). Mais *La Cantatrice chauve* donne le ton d'une œuvre qui se maintient sans cesse aux limites du sens et du non-sens – avec de fréquentes incursions au cœur du second. Fondée, selon l'auteur, sur l'impression d'étrangeté qui se dégage des répliques qu'utilise la méthode Assimil d'apprentissage des langues, elle met en scène deux couples, les Smith et les Martin, auxquels s'adjoignent par moments la bonne et le capitaine des pompiers ; tous vont échanger des propos d'une banalité effrayante, qui dérive sans cesse vers la pure absurdité (le titre même de la pièce provient d'une réplique du capitaine, sans aucun rapport avec le contexte d'ensemble).

La Cantatrice chauve *et* En attendant Godot

Il y a entre les premières pièces de Beckett et de Ionesco, composées au même moment (bien que celle de Ionesco ait trouvé plus rapidement un metteur en scène prêt à la monter), bien des éléments proches dans leur visée, sinon dans leur ton.

Tout d'abord, chacune des deux pièces se plaît à jouer sur la frontière invisible qui sépare la scène de la salle. Dans *La Cantatrice chauve*, Ionesco exagère intentionnellement la convention selon laquelle les personnages, tout en étant supposés être dans une pièce close, se présentent toujours frontalement au public. Beckett, quant à lui, aligne au contraire quelques plaisanteries relatives à l'absence supposée du public (tourné directement vers la rampe, Estragon dit : « Aspects riants », et Vladimir : « cette tourbière » ; ou encore Vladimir, avec « *un geste vers l'auditoire* » : « Là il n'y a personne. ») Ionesco, dans une autre pièce, poussera plus loin la confusion entre scène et salle, faisant intervenir à la fin du spectacle des policiers fictifs pour évacuer le public.

Similitude plus nette : les deux auteurs n'utilisent pas seulement les indications scéniques comme des données techniques destinées uniquement au metteur en scène et aux comédiens, mais ils y ajoutent des éléments humoristiques qui ne peuvent s'adresser qu'au lecteur, non au spectateur, car ils ne sont pas susceptibles d'être rendus sur scène. Ainsi chez Ionesco de la description initiale du décor : « *Intérieur bourgeois anglais, avec des fauteuils anglais. Soirée anglaise. M. Smith, anglais, dans son fauteuil anglais et ses pantoufles anglaises, fume sa pipe anglaise et lit un journal anglais, près d'un feu anglais. Il a des lunettes anglaises, une petite moustache grise, anglaise. À côté de lui, dans un autre fauteuil anglais, Mme Smith, anglaise, raccommode des chaussettes anglaises. Un long moment de silence anglais. La pendule anglaise frappe dix-sept coups anglais.* » Bien évidemment, le nombre d'éléments susceptibles d'être effectivement désignés sur scène comme « anglais » par tel ou tel détail d'aspect est loin d'approcher le nombre de ceux que, comiquement, Ionesco désigne comme tels. On trouve encore, plus loin : « *Un autre moment de silence. La pendule sonne sept fois. Silence. La pendule sonne trois fois. Silence. La pendule ne sonne aucune fois.* » Bien évidemment, la « non-sonnerie » constitue un gag à l'intention du lecteur, non du spectateur.

Chez Beckett, on trouve des plaisanteries équivalentes lorsqu'il s'agit des gestes ou expressions des personnages. Ainsi : « (V) Et je reprenais le combat. (*Il se recueille, songeant au combat.*) » Plus loin : « Vladimir (*regardant avec affolement autour de lui, comme si la date était inscrite dans le paysage*). » Ou encore : « Estragon (*se tordant*). – Il est tordant. » Ces effets sont certes plus discrets chez Beckett que chez Ionesco, et il y renoncera bientôt complètement, pour ne laisser subsister dans ses pièces plus tardives que des indications scéniques extrêmement concrètes et précises, du type de celles qu'il développe longuement lors de la scène d'échange de chapeaux à la manière de Laurel et Hardy. La même technicité s'observe d'ailleurs plus tard dans la carrière de Ionesco, à mesure que le « métier » du dramaturge devient plus sûr. Il n'en reste pas moins que la volonté d'user de diverses ressources pour plaire autant au lecteur qu'au spectateur est commune aux deux auteurs à leurs débuts théâtraux.

Plus profondément, on trouve dans *La Cantatrice chauve* comme dans *En attendant Godot* la même mise en question de la communication : chez Beckett par le balbutiement, la redite, l'incompréhension et le silence (la didascalie « *Un temps* » est de loin celle qui revient le plus souvent dans la pièce), chez Ionesco par le délire verbal et l'hystérie croissante. Mais on trouve chez chacun des procédés qui sont plus familiers à l'autre ; ainsi, chez Beckett, de certaines répliques totalement « décalées », comme lorsque, interrogé sur son identité par Pozzo, Estragon répond du tac au tac : « Catulle » ou, chez Ionesco, de la scène initiale où Mme Smith parle longuement tandis que son mari se contente de faire claquer sa langue sans répondre.

Il est toujours hasardeux de vouloir rapprocher deux œuvres qui conservent nécessairement chacune leur singularité. Mais Beckett et Ionesco, dans leur première pièce, se confrontent aux mêmes interrogations, qui sont aussi celles du vingtième siècle, et singulièrement de l'après-guerre, en France et en Europe, et les abordent de manière comparable. Aux impasses de la communication entre les êtres, à l'isolement de l'homme qu'a fui la certitude de Dieu, au malaise d'un monde sans repères, ils opposent des armes voisines : la dérision, le jeu entre sens et non-sens, le perpétuel décalage entre l'intention et l'acte, l'opacité des hommes à soi-même comme à autrui.

■ Un nouveau classicisme

Au-delà de la réalité d'un « nouveau théâtre » apparu au tournant des années 1950, et dont Beckett et Ionesco sont les figures les plus emblématiques, il n'est pas très difficile de discerner dans ces pièces, et particulièrement dans *En attendant Godot*, la poursuite d'une tradition dramatique longue de nombreux siècles, par-dessus les quelques décennies qui ont vu, à partir du second Empire, la domination du « théâtre de boulevard ».

De la tradition grecque, Beckett possède le goût d'un Aristophane pour les grossièretés bien senties, d'un Eschyle, d'un Sophocle ou d'un Euripide l'art de construire une structure dont le déroulement paraît inéluctable à la représentation, et celui de cerner des personnalités humaines dans leurs traits essentiels, mais aussi dans leur complexité. À un Shakespeare, Beckett emprunte peut-être le mélange des tons, à un Racine, la passion de l'exactitude, à un Molière, tout simplement, la faculté de faire rire…

En fait, il est un peu artificiel de vouloir rattacher Beckett à tel ou tel auteur passé. L'important est qu'il s'inscrit délibérément dans une filiation qu'il renouvelle sans la renier. Le dispositif théâtral s'est peu modifié au fil des générations, et les questions que pose *En attendant Godot* ne sont pas actuelles, mais permanentes : quel est le sens de la vie, qu'est-il possible de dire du monde qui nous entoure, quelles relations peut-on avoir avec autrui et avec soi-même ?

C'est dans la manière de poser ces questions que Beckett innove génialement. Nous plaçant face à un monde qui est une épure du nôtre, où rien ou presque ne vient nous rappeler d'événement spécifique, mais où tout nous évoque des choses connues mais subtilement modifiées, il fabrique une réalité où peuvent se mettre à nu les drames imperceptibles, les manques non dits de notre vie. Le monde d'*En attendant Godot* est le nôtre, à cette nuance près qu'on s'y arrête plus longuement à la cruauté que tisse le lien social, à la souffrance qu'entraîne un regard lucide sur le temps et la mort, et aux mille petites stratégies que l'on s'y fabrique pour se donner l'impression d'exister pleinement.

La pièce parvient toutefois à ne pas se complaire dans l'humeur tragique, puisque l'on y prend acte de l'horreur des choses, mais que l'on n'y cultive pas le mauvais goût de s'apitoyer sur l'humaine condition : il y a tant de biais par où l'on peut en rire ! Faut-il citer la formule usée selon laquelle « l'humour est la politesse du désespoir » ? Ou ne convient-il pas plutôt de conclure par un petit poème, une « mirlitonnade », comme Beckett nommait ces courts textes rimés, où, reprenant en une pirouette le thème mythologique des Parques, ces trois sœurs filant, enroulant et tranchant le fil de l'existence des hommes, Beckett répète, misérieuse mi-souriante, l'aspiration au néant qu'ont partagée Vladimir et Estragon, et dont seul l'illusoire Godot les a (pour un temps ?) détournés :

> « Noire sœur
>
> qui es aux enfers
>
> à tort tranchant
>
> et à travers
>
> qu'est-ce que tu attends ».

5
ANNEXES

1 – UN JUGEMENT

À l'occasion de la mort de Beckett, Eugène Ionesco, dont nous avons évoqué les similitudes qui rapprochent son œuvre de celle de l'Irlandais, fut invité à exprimer ce qu'il pensait de son « collègue » dramaturge dans *Le Nouvel Observateur* du 4 janvier 1990. Les commentaires qu'il fait, tout en donnant un aperçu sur Beckett en tant qu'homme, et bien qu'ils ne considèrent que certains aspects de l'œuvre, sont parmi les plus pertinents qu'on ait écrits. Les voici :

> « Je me souviens avoir vu Samuel Beckett en compagnie du peintre Bram Van Velde [1] à la Coupole. Ils passaient des heures ensemble, immobiles, sans presque échanger une parole. À l'instant de se séparer Beckett disait : "On a passé un bon moment." Et c'était tout. Quand je pense à lui, il me revient en mémoire ce vers d'Alfred de Vigny : "Seul le silence est grand, tout le reste est faiblesse."

---

[1] Il s'agit d'un des deux peintres dont il est question dans *La peinture des Van Velde ou le monde et le pantalon*, que nous avons évoqué dans les remarques consacrées à *Fin de partie*. Notons que parmi les dernières œuvres de Beckett figurent également deux textes consacrés au peintre contemporain Avigdor Arikha.

Pour Beckett, la parole n'était que du bla-bla. Elle était inutile. On a [parlé de] "théâtre de l'absurde". L'expression avait été inventée par un critique anglais, Martin Esslin. On l'a également appliquée à mes propres pièces et à celles d'Adamov, ce dramaturge injustement oublié aujourd'hui. On parlait de l'absurde parce que c'était l'époque où on parlait souvent aussi de l'absurde de Sartre, de Bataille, de Camus, de Merleau-Ponty. C'était une appellation très en vogue dans les années 50.

Ce sont surtout les grands thèmes de la mort, du malaise existentiel qui sont importants chez Beckett : il a écrit à une époque où le théâtre politique et le théâtre de boulevard tenaient le devant de la scène. Il n'en a absolument pas tenu compte. Il a détruit le vieux théâtre et il en a créé un complètement nouveau. Il a mis en scène la vie dans ses fondements essentiels, les rapports de l'être avec lui-même, avec la transcendance, avec la divinité. Ses commentateurs n'auraient peut-être pas été d'accord et lui-même n'a jamais commenté ses œuvres mais moi je l'ai toujours pensé : *En attendant Godot* exprime l'attente désespérée de Dieu. On ne peut pas comprendre Beckett, on ne peut pas comprendre son théâtre si on lui ôte cette dimension métaphysique.

Le personnage de Beckett ? Bien sûr qu'il m'impressionnait. Quand je l'ai rencontré pour la première fois, il y a trente ou quarante ans, je l'ai trouvé beau. Il avait une figure excessive, un peu inquiétante. Mais surtout, il était profondément humain et d'une gentillesse extraordinaire. Il m'a présenté des tas d'amis, comme Harold Pinter. Il a toujours été très indulgent à mon égard. Roger Blin m'a rapporté qu'après avoir vu *Le roi se meurt* il avait déclaré : "C'est le cri d'une âme."

Nos relations se sont un peu distendues ces trois ou quatre dernières années. Je le savais malade et cela me faisait de la peine mais je m'étais habitué à l'idée de sa mort comme je me suis habitué à la mienne. »

2 – ORIENTATIONS BIBLIOGRAPHIQUES

■ Vie de Beckett

La seule vraie biographie de Samuel Beckett, malgré toutes les critiques de naïveté et de faiblesse de l'analyse proprement littéraire qu'on a pu lui adresser, est due à l'universitaire américaine Deirdre Bair ; parue en anglais en 1978 sous le simple titre *Samuel Beckett*, elle a été traduite en français en 1979 (éditions Fayard). La réédition de 1990 comporte quelques compléments sur les dernières années de l'écrivain. Signalons également un remarquable petit livre d'André Bernold, *L'amitié de Beckett* (Hermann, 1992) : ce jeune normalien, de plus de cinquante ans le cadet de l'écrivain, sut entrer dans son intimité intellectuelle ; son texte est parfois ardu, mais d'une extrême richesse documentaire et analytique.

■ Œuvres de Beckett

Tous les textes de Beckett en français ont été publiés par les éditions de Minuit. Il n'existe pas à ce jour d'édition des œuvres complètes, ni d'édition de poche (mais certains textes existent dans des collections « scolaires »). Beckett étant un écrivain bilingue, si l'on pratique un peu l'anglais, il peut être utile de se reporter aux versions anglaises de ses œuvres (versions originales anglaises ou traductions, la plupart établies par lui-même), toutes disponibles chez Faber & Faber ou chez John Calder (entre autres dans de gros volumes regroupant plusieurs textes).

Pour approfondir la connaissance de Beckett après être passé par *En attendant Godot*, on peut commencer par d'autres grandes pièces : *Fin de partie*, puis *Oh les beaux jours*, qui reprennent et radicalisent le propos, ensuite il est souhaitable de se risquer dans les romans et nouvelles : *Mercier et Camier* ou *Watt* peuvent constituer une première approche, mais il faut absolument lire la trilogie *Molloy, Malone meurt, L'Innommable*, un des ensembles romanesques les plus profonds et les plus achevés du siècle.

■ Commentaires

L'œuvre de Beckett est l'une des plus commentées de la littérature contemporaine. Bon an mal an, il se publie une bonne centaine d'ouvrages ou de longs articles sur l'écrivain, en diverses langues. Un bon échantillon (une dizaine de textes de valeur, bien qu'anciens) se trouve dans l'anthologie éditée par Dominique Nores : *Les critiques de notre temps et Samuel Beckett* (Garnier, 1971).

Les meilleures approches en français demeurent certainement les deux livres de Ludovic Janvier : son *Pour Samuel Beckett* (éditions de Minuit, 1966) et son *Beckett par lui-même*, de la collection « Écrivains de toujours » (éditions du Seuil, 1969), sont à la fois très riches en éléments factuels et très ingénieux dans leur approche critique. Le *Beckett* d'Alfred Simon (Belfond, 1983), à la fois biographique et critique, est un bon complément à l'approche de Janvier.

On pourra également se reporter à l'*Histoire du nouveau théâtre* de Geneviève Serreau (Gallimard, 1966) et au *Théâtre de dérision : Beckett, Ionesco, Adamov* d'Emmanuel Jacquart (Gallimard, 1974), qui étudient les pièces de Beckett dans le contexte du théâtre d'après-guerre.

Il n'existe pas sur *En attendant Godot* d'ouvrage qui soit à la fois accessible et complet. Plus encore que pour d'autres auteurs, le meilleur conseil qu'on puisse donner au lecteur est de retourner sans cesse à l'œuvre : tout regard nouveau lui en révélera de nouvelles richesses.

Aubin Imprimeur

LIGUGÉ, POITIERS

Achevé d'imprimer en août 2001
N° d'impression L 62167
Dépôt légal août 1999
Imprimé en France